COLEÇÃO MISTÉRIO & SUSPENSE

H.P. LOVECRAFT

O CHAMADO DE CTHULHU

E OUTROS CONTOS

Tradução
Alexandre Barbosa de Souza

EDITORA NOVA FRONTEIRA

EDITORA NOVA FRONTEIRA PARTICIPAÇÕES S.A.
Rua Candelária, 60 – 7º andar –
Centro – 20091-020
Rio de Janeiro – RJ – Brasil
Tel.: (21) 3882-8200

IMAGENS DE CAPA E MIOLO: Arte feita a partir de Fujhine.std | Freepik; Roberto Castillo | Shutterstock; Deka Sepdian Gumilar | Shutterstock; Sylverarts Vectors | Shutterstock

DADOS INTERNACIONAIS DE CATALOGAÇÃO NA PUBLICAÇÃO (CIP)
(CÂMARA BRASILEIRA DO LIVRO, SP, BRASIL)

Lovecraft, H. P., 1890-1937
O chamado de Cthulhu e outros contos / H. P. Lovecraft ; tradução Alexandre Barbosa de Souza. -- Rio de Janeiro : Nova Fronteira, 2020. -- (Coleção Mistério e Suspense)
208 p.

ISBN 978-65-5640-135-5

1. Contos de terror - Literatura norte-americana
2. Contos norte-americanos I. Título II. Série.

20-47629 CDD-813

Índices para catálogo sistemático:
1. Contos : Literatura norte-americana 813
Cibele Maria Dias - Bibliotecária - CRB-8/9427

SUMÁRIO

DAGON

Estou escrevendo isto sob considerável esforço mental, uma vez que hoje à noite não existirei mais. Sem dinheiro e esgotado o suprimento da droga que é a única coisa que torna minha vida suportável, não posso mais tolerar a tortura; vou me atirar pela janela deste sótão na rua sórdida lá embaixo. Não vá pensar que, por ser escravo da morfina, eu seja um fraco ou um degenerado. Depois de ler estas páginas rascunhadas às pressas, você talvez adivinhe, mesmo sem jamais entender plenamente, por que eu preciso do esquecimento ou da morte.

Foi em um dos trechos mais abertos e menos frequentados do vasto Pacífico que o paquete do qual eu era capitão de longo curso caiu vítima de piratas alemães. A guerra mundial mal havia começado, e as forças oceânicas inimigas ainda não haviam se entregado completamente à degradação que viria depois, de modo que nossa embarcação foi tomada como despojo legítimo, enquanto a tripulação foi tratada com toda a justiça e consideração que nos era devida como prisioneiros navais. Tão generosa, de fato, foi a disciplina de nossos captores que cinco dias depois de sermos presos consegui fugir sozinho em um pequeno bote com água e provisões para um bom tempo.

Quando enfim me vi à deriva e livre, eu pouco sabia da região à minha volta. Nunca fui bom navegador e só consegui adivinhar vagamente pelo sol e pelas estrelas que estava um pouco ao sul do equador. Da longitude, eu nada sabia, e não havia ilha nem costa alguma à vista. O tempo continuou bom, e por incontáveis dias fiquei à deriva, sem destino, sob o sol escaldante, esperando algum navio passar ou aguardando ser levado até a praia de alguma terra habitável. Mas nem navio nem terra apareceu, e comecei a me desesperar com a solidão sobre a vastidão arquejante daquele azul ininterrupto.

A mudança aconteceu enquanto eu dormia. Os detalhes, jamais saberei, pois meu sono, embora perturbado e infestado de sonhos, era profundo. Quando enfim despertei, descobri que havia sido sugado para dentro da viscosa imensidão de uma lama negra infernal, que se estendia ao meu redor em ondulações monótonas até onde a vista alcançava, e na qual meu bote havia encalhado a certa distância.

Embora se pudesse imaginar que minha primeira sensação fosse de maravilhamento diante de uma transformação tão prodigiosa e inesperada do cenário, eu na verdade fiquei mais horrorizado que espantado, pois havia no ar e na matéria putrefata uma qualidade sinistra que me dava calafrios por dentro. Toda aquela região apodrecia com as carcaças de peixes mortos e outras coisas mais indescritíveis, que eu via se projetarem de dentro da asquerosa e interminável superfície. Talvez eu não devesse almejar transmitir em meras palavras a indizível abjeção contida no silêncio absoluto e na imensidão erma. Não havia nada para ouvir e nada para ver além de uma vasta extensão de lama negra; no entanto, a quietude era tão completa e a homogeneidade da paisagem era tamanha que aquilo me oprimia com um medo nauseante.

O sol ardia em um céu que me parecia quase negro em sua crueldade sem nuvens, como se refletisse o nanquim do pântano sob os meus pés. Enquanto eu nadava até o bote encalhado, me dei conta de que apenas uma teoria poderia explicar minha posição. Por meio de alguma atividade vulcânica sem precedentes, uma parte do leito oceânico devia ter sido lançada para a superfície, expondo regiões que por inúmeros milhões de anos haviam ficado ocultas em profundezas marinhas insondáveis. Tamanha era a extensão daquela nova terra que se erguera por baixo de mim que eu não conseguia detectar nem um som vindo do oceano ondulante, por mais que apurasse os ouvidos. Tampouco havia aves marinhas para devorar toda aquela carniça.

Durante várias horas fiquei sentado pensando ou cismando no bote, que deitado de lado fornecia uma ligeira sombra conforme o sol se deslocava pelo céu. À medida que o dia avançava, o terreno foi perdendo um pouco da viscosidade, e parecia que em breve ficaria seco o suficiente para se caminhar por cima. Naquela noite só dormi um pouco, e no dia seguinte muni um alforje com comida e água, e me preparei para uma expedição por terra em busca do mar desaparecido e de um possível resgate.

Na terceira manhã, deparei-me com o solo seco o suficiente para caminhar com facilidade. O odor de peixe era enlouquecedor; mas eu estava preocupado demais com coisas mais graves para me incomodar com um mal tão pequeno, e parti ousadamente atrás de uma meta desconhecida. O dia inteiro avancei a passos constantes para oeste, guiado por uma elevação distante que se erguia mais alta do que qualquer outra naquele deserto ondulado. À noite acampei e no dia seguinte segui viagem em direção à elevação, embora o objeto mal parecesse mais próximo do que na primeira vez em que o avistara. Na quarta noite, alcancei a base do aclive, que se revelou muito mais alto do que parecera a distância; um vale interposto o destacava mais agudamente da superfície geral. Exausto demais para escalar, dormi na sombra do aclive.

Não sei por que meus sonhos foram tão desmesurados naquela noite, mas, antes que a lua minguante e fantasticamente corcunda se erguesse muito acima do horizonte ao leste, acordei com suores frios, decidido a não dormir mais. As visões que experimentei eram mais do que conseguiria suportar outra vez. E no brilho da lua vi como eu havia sido imprudente de viajar durante o dia. Sem o clarão causticante do sol, minha travessia teria me custado menos energia; na verdade, agora eu me sentia perfeitamente capaz de escalar o aclive que me detivera ao crepúsculo. Recolhendo meu alforje, parti para a crista da elevação.

Eu disse que a monotonia ininterrupta da planície ondulada era fonte de um horror vago, mas creio que meu horror ficou maior quando alcancei o topo do aclive e olhei para o outro lado, na direção de um fosso ou desfiladeiro imensurável, cujos recessos negros a lua ainda não estava alta o bastante para iluminar. Senti que estava nos confins do mundo, esquadrinhando por sobre a borda do caos insondável de uma noite eterna. No meu terror, vieram-me curiosas reminiscências do *Paraíso perdido* e da hedionda escalada de Satã pelos domínios antigos das trevas.

Conforme a lua ia escalando mais alto o céu, passei a ver que as colinas do vale não eram tão perpendiculares quanto eu havia imaginado. Ressaltos e afloramentos rochosos forneciam degraus bastante acessíveis para uma descida, enquanto após algumas dezenas de metros o declive se tornava bastante gradual. Levado por um impulso que não sou capaz de analisar definitivamente, fui descendo com dificuldade as rochas e cheguei ao declive mais ameno, lá embaixo, contemplando as profundezas estígias onde luz alguma havia penetrado até então.

Então, de uma só vez, minha atenção foi capturada por um objeto vasto e singular na outra encosta, que se erguia abruptamente a pouco mais de cem metros à minha frente; um objeto que reluzia com uma cintilação esbranquiçada sob os raios recém-lançados da lua que subia. Que se tratava apenas de um pedaço gigantesco de pedra, eu logo tive certeza, mas tomei consciência de uma distinta impressão de que seu contorno e sua posição não eram de todo obra da Natureza. Um exame mais atento me encheu de sensações que não sou capaz de expressar, pois, apesar de sua enorme magnitude, e sua posição em um abismo que dormia no fundo do mar desde que o mundo era jovem, percebi sem dúvida que o estranho objeto era um monólito bem-talhado cujo volume imenso tinha sido testemunha da artesania e talvez da idolatria de criaturas vivas e pensantes.

Perturbado e apavorado, embora não isento de certo frenesi de prazer típico do cientista ou do arqueólogo, examinei meus arredores mais detidamente. A lua, agora próxima ao zênite, brilhava estranha e vigorosamente sobre as escarpas altíssimas que cercavam o abismo, e revelou o fato de que uma ampla extensão de água fluía lá embaixo, serpenteando até se perder de vista em ambas as direções, e quase molhou meus pés enquanto fiquei parado na encosta.

Atravessando o abismo, as ondas se chocavam contra a base do ciclópico monólito, em cuja superfície eu agora conseguia distinguir tanto inscrições quanto esculturas rústicas. A escrita era em um sistema de hieróglifos desconhecido para mim e diferente de tudo que eu já tinha visto em livros, consistindo basicamente em símbolos aquáticos convencionais, como peixes, enguias, polvos, crustáceos, moluscos, baleias e coisas do gênero. Diversos caracteres evidentemente representavam coisas marinhas que são desconhecidas do mundo moderno, mas cujas formas em decomposição eu havia observado na planície erguida do oceano.

Foram as inscrições pictóricas, no entanto, que mais me deixaram hipnotizado. Claramente visíveis através da água por conta de seu enorme tamanho, havia uma série de baixos-relevos cujos temas teriam despertado a inveja de um Doré. Creio que aquelas coisas deviam retratar homens – ao menos certo tipo de homem –, embora as criaturas fossem mostradas em ações semelhantes a peixes nas águas de alguma gruta marinha ou rendendo homenagem a uma espécie de altar monolítico que parecia também estar embaixo das águas. Sobre os rostos e as formas dessas criaturas, não me atrevo a falar em detalhes, pois sua mera lembrança quase me faz desmaiar. Grotescas além da imaginação de um Poe ou de um Bulwer, eram desgraçadamente humanas na forma geral, apesar das membranas nas mãos e nos pés, dos chocantes lábios largos e moles, dos olhos vítreos e saltados, e de outros traços menos agradáveis de recordar. Curiosamente, pareciam ter sido entalhados fora de proporção ao cenário do fundo, pois um desses seres aparecia matando uma baleia representada apenas um pouco maior do que ele. Reparei, como eu disse, no aspecto grotesco e na estranheza do tamanho, mas no momento seguinte concluí que deviam ser meros deuses imaginários de alguma tribo primitiva de pescadores ou navegadores; alguma tribo cujo último descendente tivesse desaparecido eras antes do nascimento do primeiro ancestral do Homem de Piltdown ou Neandertal. Perplexo com esse inesperado vislumbre de um passado mais remoto que a concepção do antropólogo mais ousado, fiquei contemplando enquanto a lua lançava reflexos bizarros no canal silencioso diante de mim.

Então subitamente eu vi. Com um breve espadanar marcando sua subida à superfície, a criatura deslizou diante dos meus olhos para fora das águas escuras. Vasto, polifêmico e odioso, ele saltou como um estupendo monstro de pesadelos até o monólito, sobre o qual estendeu seus gigantescos braços escamosos, instante em que abaixou sua cabeça hedionda e deu vazão a determinados sons expressivos. Creio ter sido aí que eu enlouqueci.

Sobre minha escalada frenética do aclive e do penhasco e minha delirante travessia de volta ao bote encalhado, lembro muito pouco. Creio que cantei um bocado e gargalhei estranhamente quando não consegui mais cantar. Tenho lembranças imprecisas de uma grande tempestade algum tempo depois de eu ter chegado ao bote; seja como for, sei que ouvi estrondos de trovões e outros sons que a Natureza só pronuncia em seus humores mais destemperados.

Quando saí das sombras, estava em um hospital em São Francisco, levado até lá pelo capitão de um navio americano que resgatou o meu bote no meio do oceano. No meu delírio, eu tinha falado demais, mas descobri que haviam dado pouco crédito às minhas palavras. Sobre a sublevação de terra no Pacífico, meus salvadores nada sabiam; tampouco julguei necessário insistir em algo em que eu sabia que eles não acreditariam. Um dia procurei um famoso etnólogo, e ele achou graça das perguntas peculiares que fiz sobre a antiga lenda dos filisteus a respeito de Dagon, o Deus-Peixe; mas, logo que percebi que ele era irrecuperavelmente convencional, não insisti com minha investigação.

É à noite, sobretudo quando a lua está minguante e corcunda, que eu vejo a criatura. Tentei morfina, mas a droga concedeu apenas um alívio passageiro e me arrastou para suas garras como um escravo desesperado. De modo que agora vou pôr fim em tudo, depois de ter escrito um relato completo para a informação ou desdenhosa diversão de meus semelhantes. Muitas vezes me pergunto se poderia ter sido tudo pura fantasia – mera aberração febril após ter ficado exposto ao sol e remado no bote aberto durante a minha fuga do navio de guerra alemão. Isso eu me pergunto, mas sempre me vem aquela visão hediondamente nítida em resposta. Não posso pensar no mar profundo sem tremer diante das coisas sem nome que neste exato momento podem estar rastejando e chafurdando em seu leito viscoso, idolatrando seus antigos ídolos de pedra e inscrevendo sua detestável semelhança em obeliscos submarinos de granito. Sonho com o dia em que eles talvez se ergam acima das águas para arrastar com suas garras fétidas os remanescentes de uma humanidade insignificante, exaurida pela guerra – o dia em que a terra há de afundar e o leito escuro do oceano há de ascender em meio ao pandemônio universal.

O fim está próximo. Ouço um barulho na porta, como se um corpo imenso e escorregadio a estivesse empurrando. Ele não conseguirá me encontrar. Deus, *essa mão!* A janela! A janela!

NYARLATHOTEP

Nyarlathotep... o caos rastejante... eu sou o último... vou contar ao vazio ouvinte...

Não lembro com precisão quando começou, mas já faz meses. A tensão geral estava horrível. A uma temporada de revolta política e social, acrescentou-se a apreensão estranha e cismada de um perigo físico hediondo; um perigo amplamente difundido e abrangente, como só se pode imaginar nas mais terríveis fantasias noturnas. Lembro que as pessoas perambulavam com semblantes pálidos e preocupados, e sussurravam advertências e profecias que ninguém ousava conscientemente repetir ou admitir para si mesmo ter ouvido. Uma sensação de culpa monstruosa pesava sobre a terra, e dos abismos entre as estrelas brotavam correntes gélidas que faziam os homens tremerem em lugares escuros e solitários. Houve uma alteração demoníaca na sequência das estações – o calor do outono persistia terrivelmente, e todos sentiam que o mundo, e talvez o universo, tinha passado do controle de deuses ou poderes conhecidos para o de deuses ou poderes desconhecidos.

E foi então que Nyarlathotep saiu do Egito. Quem era ele, ninguém sabia dizer, mas tinha o velho sangue nativo e parecia um faraó. Os felás ajoelhavam-se ao vê-lo, mesmo sem saber por quê. Ele disse que tinha se levantado das trevas de 27 séculos e que tinha ouvido mensagens de lugares que não ficavam neste planeta. Nas terras da civilização, chegou Nyarlathotep, moreno, magro e macabro, sempre comprando estranhos instrumentos de vidro e metal e os combinando em instrumentos ainda mais estranhos. Ele falava muito das ciências – da eletricidade e da psicologia – e dava demonstrações de poder que deixavam seus espectadores sem fala e que, no entanto, ampliavam sua fama a uma magnitude extraordinária. Os homens aconselhavam uns aos outros que fossem ver Nyarlathotep e estremeciam. E aonde Nyarlathotep ia, o sossego acabava, pois a madrugada era rasgada por gritos de pesadelo. Nunca antes os gritos de pesadelo tinham sido um problema público tão grave; agora, os sábios quase desejavam proibir dormir de madrugada, para que os berros das cidades perturbassem menos horrivelmente a pobre lua pálida que cintilava nas águas verdes deslizando sob as pontes e as torres antigas, que desmoronavam contra um céu doentio.

Lembro de quando Nyarlathotep veio à minha cidade – a grande, antiga e terrível cidade de inúmeros crimes. Meu amigo tinha me falado sobre ele e sobre o irresistível fascínio e deslumbramento de suas revelações, e eu ardia de ansiedade para explorar seus mistérios mais extremos. Meu amigo disse que eram horríveis e impressionantes, além da minha imaginação mais febril, que o que era lançado em uma tela na sala escura profetizava coisas que ninguém além de Nyarlathotep ousaria profetizar, e que naquele crepitar de fagulhas era arrancado dos homens aquilo que nunca havia saído antes e que, no entanto, aparecia apenas em seus olhos. E se dizia por aí que quem conhecia Nyarlathotep tinha visões de coisas que os outros não viam.

Foi durante o quente outono que segui pela noite com uma multidão inquieta para ver Nyarlathotep; seguimos pela noite abafada e subimos um sem-fim de escadas até a sala sufocante. Em sombras na tela, vi formas encapuzadas em meio a ruínas e rostos amarelados e malignos espiando por trás de monumentos derrubados. E vi o mundo em guerra contra as trevas; contra as ondas de destruição enviadas do espaço mais remoto; chiando, borbulhando; lutando em volta do sol que se apagava e resfriava. Então as fagulhas dançaram incrivelmente em volta das cabeças dos espectadores, e os cabelos se eriçaram ao máximo enquanto sombras mais grotescas do que sou capaz de descrever surgiram e pairaram sobre suas cabeças. E, quando eu, que era mais frio e mais científico que os demais, resmunguei um protesto trêmulo sobre "impostura" e "eletricidade estática", Nyarlathotep nos mandou porta afora, escada abaixo, à meia-noite, para a rua opressiva, quente e deserta. Eu gritei bem alto que *não* estava com medo, que eu jamais sentiria medo, e outros gritaram comigo para se aliviar. Juramos uns para os outros que a cidade *continuava* a mesma e continuava viva; e, quando a luz elétrica das ruas começou a se apagar, xingamos a companhia diversas vezes e demos risada das caras estranhas que fizemos.

Creio que sentimos algo descer da lua esverdeada, pois, quando começamos a contar com sua luz apenas, involuntariamente fomos assumindo formações curiosas e parecíamos saber para onde devíamos ir, embora não ousássemos pensar nisso. A certa altura, olhamos para a calçada e vimos que as pedras estavam frouxas e afastadas pela grama, e mal se via a linha de metal enferrujada onde antes passava o bonde.

E também vimos um bonde solitário, sem vidros nas janelas, depredado e quase tombado de lado. Quando olhamos para o horizonte, não vimos a terceira torre junto ao rio e reparamos que a silhueta da segunda torre tinha o topo serrilhado. Depois nos dividimos em colunas estreitas, cada uma aparentemente atraída para uma direção diferente. Uma delas desapareceu por uma viela apertada à esquerda, deixando apenas o eco de um gemido chocante. Outra desceu por uma entrada de metrô coberta de ervas daninhas, uivando com uma gargalhada enlouquecida. Minha coluna foi sugada em direção ao campo aberto, e então sentimos um calafrio que não era próprio daquele outono quente; pois, conforme marchávamos pela charneca escura, contemplamos à nossa volta o brilho de um luar infernal sobre uma neve maligna. Neve sem marcas, inexplicável, seguia em uma única direção, onde havia um golfo que parecia ainda mais negro em meio às paredes cintilantes. A fileira parecia mesmo muito diáfana ao adentrar sonhadoramente aquele golfo. Fiquei para trás, pois a fenda negra na neve iluminada pelo luar esverdeado era assustadora, e pensei ter ouvido reverberações de um lamento inquietante quando meus companheiros sumiram, mas meu poder de resistir ali foi escasso.

Como se eu fosse chamado por aqueles que se foram antes, quase que flutuei em meio aos titânicos montes de neve, trêmulo e apavorado, e adentrei o vórtice cego do inimaginável.

Gritantemente lúcido ou entorpecidamente delirante, só os deuses antigos podem dizer. Uma sombra doentia, sensível, contorcida por mãos que não eram mãos, rodopiada cegamente por noites horripilantes de criações putrefatas, cadáveres de mundos mortos com feridas que já foram cidades, ventos de carnificinas que roçam as pálidas estrelas e atenuam seu brilho. Além desses mundos, vagos fantasmas de seres monstruosos, colunas entrevistas de templos profanos que repousam em rochedos ignotos sob o espaço e se erguem para um vácuo vertiginoso acima das esferas da luz e da treva. E, através desse cemitério repulsivo do universo, as batidas abafadas e enlouquecedoras de tambores, e os gemidos fracos e monótonos de flautins blasfemos, vindos de câmaras escuras e inconcebíveis além do Tempo; o bater e o soprar detestáveis ao som dos quais dançam lenta, estranha e absurdamente os tenebrosos deuses definitivos – gárgulas cegas, mudas e insanas, cuja alma é Nyarlathotep.

A CIDADE SEM NOME

Quando cheguei à cidade sem nome, vi que era um lugar amaldiçoado. Eu estava viajando por um vale seco e terrível, à luz da lua, e ao longe vi a cidade se erguer estranhamente acima das dunas, como partes de um cadáver escapam de uma sepultura malfeita. O medo falou a partir das pedras gastas pelo tempo daquela grisalha sobrevivente do dilúvio, daquela bisavó da pirâmide mais antiga; e uma aura invisível me repeliu e me mandou recuar de segredos sinistros e antigos que homem nenhum deveria ver, e que nenhum outro homem jamais ousara contemplar.

Remota, no deserto da Arábia, jaz a cidade sem nome, desmoronada e desarticulada, seus muros baixos quase ocultos pela areia de eras incontáveis. Devia estar assim antes que as primeiras pedras de Mênfis fossem empilhadas e enquanto os tijolos da Babilônia ainda não haviam sido cozidos. Não há lenda tão antiga a ponto de conter seu nome ou que registre que algum dia esteve viva, mas a cidade é mencionada em sussurros em volta de fogueiras e murmurada por avós nas tendas dos xeiques, de modo que todas as tribos a evitam sem saber exatamente por quê. Foi com esse lugar que Abdul Alhazred, o poeta louco, sonhou uma noite antes de cantar esse dístico inexplicável:

Não morre o que pode eternamente permanecer,
E, após estranhos éons, até a morte pode morrer.

Eu devia saber que os árabes tinham bons motivos para evitar a cidade sem nome, a cidade decantada em estranhas histórias, porém jamais vista por nenhum homem vivo; no entanto, os desafiei e fui com meu camelo rumo à vastidão jamais percorrida. Fui o único a vê-la, e é por isso que nenhum outro rosto tem rugas de medo como o meu; por isso nenhum outro homem estremece tão horrivelmente quando o vento noturno sacode as janelas.

Quando cheguei naquela quietude macabra de um sono sem fim, a cidade olhou para mim, gélida sob os raios de uma lua fria em meio ao calor do deserto. E, quando devolvi o olhar, esqueci meu triunfo de havê-la encontrado e parei com meu camelo para esperar o amanhecer.

Durante horas esperei, até que o leste ficasse cinza e as estrelas se apagassem, e o cinza ficou róseo, debruado em dourado. Ouvi um gemido e vi uma tempestade de areia se agitar em meio às rochas antigas, embora o céu estivesse claro e a vasta amplidão do deserto, silenciosa. Então, subitamente, acima da borda mais distante do deserto, surgiu a ponta ardente do sol, vista através da minúscula tempestade de areia que estava indo embora, e em meu estado febril imaginei que de alguma profundeza remota vinha um estrondo metálico e musical para saudar o disco flamejante, como Mêmnon o saúda das margens do Nilo. Meus ouvidos zuniram e minha imaginação fervilhou, e levei meu camelo lentamente através da areia até aquele silencioso lugar de pedra; lugar antigo demais para o Egito e Meroé se lembrarem; lugar que apenas eu entre os vivos pude contemplar.

Entrei e saí, perambulando, pelas fundações disformes de casas e palácios, sem nunca encontrar relevos ou inscrições que contassem sobre aqueles homens, se é que eram homens, que construíram a cidade e ali viveram tanto tempo atrás. A antiguidade do local não era saudável, e desejei encontrar algum sinal ou artefato que provasse que a cidade era de fato obra da humanidade. Havia certas *proporções* e *dimensões* naquelas ruínas que não me agradaram. Levei comigo muitas ferramentas e escavei um bocado entre as paredes de edifícios destruídos, mas o progresso foi lento, e nada de significativo foi revelado. Quando a noite e a lua voltaram, senti um vento frio que me trouxe um novo medo, tanto que não ousei permanecer na cidade. E, quando eu saía daqueles muros antigos para ir dormir, uma pequena tempestade de areia suspirante se formou atrás de mim, soprando sobre as pedras cinzentas, embora a lua estivesse brilhante e a maior parte do deserto continuasse em silêncio.

Acordei quando raiava o dia de uma procissão de sonhos horríveis, meus ouvidos ecoavam como que um dobre metálico. Vi o sol atravessar e avermelhar as últimas rajadas de uma breve tempestade de areia que pairava sobre a cidade sem nome, e enfatizava a quietude do resto da paisagem. Mais uma vez me arrisquei entre aquelas ruínas melancólicas que se erguiam debaixo da areia como um ogro embaixo de um manto e novamente escavei em vão atrás de relíquias daquela raça esquecida. Ao meio-dia, descansei, e à tarde passei um bom tempo desenhando os muros, e as vielas, e os contornos dos edifícios quase desaparecidos. Vi que a cidade devia ter sido mesmo poderosa e imaginei possíveis fontes de sua grandeza. Imaginei todo o esplendor de uma era tão distante que os caldeus dela não se recordavam e pensei em Sarnath, a Condenada, que ficava na terra de Mnar, quando a humanidade era jovem, e em Ib, esculpida na rocha cinzenta antes que o homem existisse.

No mesmo instante, cheguei a um lugar onde o leito rochoso se erguia imponente através da areia e formava uma escarpa baixa, e ali vi com alegria promissores indícios do que teria sido aquele povo antediluviano. Rusticamente entalhadas na face da escarpa havia inconfundíveis fachadas de diversas casas ou templos de pedra, pequenas e achatadas, cujos interiores talvez conservassem muitos segredos de eras remotas demais para se calcular, embora os séculos de tempestades de areia houvessem apagado as inscrições que talvez existissem do lado de fora.

Muito baixas e sufocadas pela areia eram todas as aberturas escuras perto de mim, mas abri uma delas com minha pá e me arrastei para dentro, levando uma tocha para revelar os mistérios que pudesse haver ali. Do lado de dentro, vi que a caverna era na verdade um templo e contemplei os claros sinais da raça que ali vivera e louvara antes que o deserto fosse um deserto. Altares, pilares e nichos primitivos, todos curiosamente baixos, ali não faltavam; e, embora eu não visse nenhuma escultura ou afresco, havia muitas pedras singulares, claramente lavradas com símbolos por meios artificiais. O teto baixo da câmara entalhada era muito estranho, pois eu mal conseguia ficar ereto ajoelhado no chão, mas a área era tão grande que minha tocha mostrava apenas uma parte por vez. Estremeci bizarramente ao chegar nos cantos mais extremos, pois certos altares e pedras sugeriam ritos esquecidos de natureza terrível, revoltante e inexplicável, e me fizeram imaginar que tipo de homens podia ter construído e frequentado aquele templo. Depois de ver tudo que o local continha, rastejei de volta para fora, ávido por descobrir o que os outros templos poderiam revelar.

A noite agora havia chegado, no entanto as coisas tangíveis que eu tinha visto tornaram a curiosidade mais forte que o medo, de modo que não fugi das longas sombras lançadas pela lua, que me haviam desencorajado quando vi pela primeira vez a cidade sem nome. Ao anoitecer, liberei outra abertura e com uma nova tocha rastejei para dentro, descobrindo mais pedras e símbolos vagos, embora nada mais definitivo do que o outro templo já continha. A sala era igualmente baixa, porém muito menos larga, terminando em um corredor muito estreito repleto de relicários obscuros e crípticos. Eu observava esses relicários quando os ruídos do vento e do meu camelo lá fora interromperam o silêncio e me atraíram para ver o que teria assustado o animal.

A lua cintilava vividamente sobre as ruínas primitivas, iluminando uma densa nuvem de areia que parecia soprada por um vento forte mas passageiro, de algum ponto da escarpa à minha frente. Entendi que havia sido esse vento frio, arenoso, que incomodara o camelo, e eu estava prestes a levá-lo a um lugar mais protegido quando ergui os olhos de relance e vi que não havia vento no cume da escarpa. Isso me deixou perplexo e apavorado outra vez, mas imediatamente me lembrei das súbitas ventanias que tinha visto e ouvido ali, antes da aurora e do ocaso, e julguei que fosse uma coisa normal. Concluí que o vento devia vir de alguma fissura na rocha, que levaria a uma caverna, e procurei na areia algum indício de sua origem; logo percebi que o vento vinha do orifício negro de um templo a uma longa distância ao sul, quase a perder de vista. Caminhando contra a nuvem de areia asfixiante, marchei em direção a esse templo, que, conforme eu me aproximava, parecia maior do que os demais e exibia uma entrada muito menos obstruída pela areia compacta. Eu teria entrado, não fosse a força terrível do vento gelado que quase apagou minha tocha. Ele saía furiosamente pela porta escura, soltando suspiros fantasmagóricos a cada lufada de areia que se espalhava sobre as estranhas ruínas. Logo o vento amainou, e a areia foi ficando cada vez mais silenciosa, até que enfim repousou outra vez; porém uma presença parecia espreitar por entre as pedras espectrais da cidade, e, quando olhei para a lua, ela parecia trêmula como se refletida em águas turbulentas. Fiquei mais apavorado do que conseguiria explicar, mas não a ponto de saciar minha sede de maravilhas; de modo que, assim que o vento passou, penetrei na câmara escura de onde ele tinha saído.

Esse templo, como eu havia imaginado do lado de fora, era maior que os outros dois que visitei antes, e era presumivelmente uma caverna natural, uma vez que ali circulavam ventos vindos de alguma outra região. Não precisei mais me ajoelhar e consegui ficar em pé, mas notei que as pedras e os altares eram baixos como os dos outros templos. Nas paredes e no teto contemplei pela primeira vez alguns sinais da arte pictórica daquela raça antiga, curiosos traços curvos de uma tinta quase apagada ou craquelada, e em dois dos altares vi, com crescente excitação, um elaborado labirinto de relevos curvilíneos. Quando ergui minha tocha, pareceu-me que o formato do teto era regular demais para ser natural, e imaginei como seria antes daqueles entalhadores pré-históricos. Suas habilidades de engenharia deviam ter sido vastas.

Então um bruxuleio mais brilhante da labareda fantástica mostrou-me aquilo que eu estava procurando, a abertura para os abismos remotos de onde o vento súbito havia soprado; quase desmaiei quando vi que era uma pequena porta evidentemente *artificial* entalhada na rocha maciça. Avancei com minha tocha lá para dentro, contemplando um túnel negro com o teto baixo arqueado sobre um lance íngreme de degraus rústicos, muito pequenos e numerosos, que desciam. Sempre vejo esses degraus nos meus sonhos, pois aprendi seu significado. Na ocasião, eu mal sabia se devia chamá-los de degraus ou meros apoios para o pé em uma descida acentuada. Minha cabeça rodava com pensamentos insanos, e as palavras e advertências dos profetas árabes pareciam flutuar pelo deserto, vindas das terras conhecidas dos homens até a cidade sem nome que os homens não ousam conhecer. No entanto, hesitei apenas por um momento, então avancei através do portal e comecei a descer com cuidado pelo corredor íngreme, primeiro com os pés, como se fosse uma escada.

Apenas nas terríveis fantasias das drogas ou do delírio algum outro homem experimentou uma descida como a minha. O corredor estreito descia infinitamente como um poço hediondo e assombrado, e a tocha que eu mantinha acima da cabeça não iluminava as profundezas desconhecidas rumo às quais eu rastejava. Perdi a noção das horas e esqueci de consultar meu relógio, embora tenha me assustado ao pensar na distância que devia ter percorrido. Havia mudanças de direção e no grau de inclinação, e a certa altura cheguei a uma passagem comprida, baixa e plana, onde precisei ir sentindo com os pés o leito rochoso, segurando a tocha com o braço estendido longe da cabeça. O lugar não tinha altura para eu poder me ajoelhar. Depois disso voltaram os degraus íngremes, e eu ainda estava descendo interminavelmente quando minha tocha oscilante se apagou. Creio não ter notado na hora, pois quando me dei conta ainda a estava segurando no alto, como se estivesse acesa. Fiquei bastante perturbado com aquele meu instinto para o estranho e o desconhecido que fizera de mim um andarilho sobre a terra e um frequentador de lugares distantes, antigos e proibidos.

No escuro, passaram pela minha cabeça fragmentos de meu adorado tesouro de lendas demoníacas, frases de Alhazred, o árabe louco, parágrafos dos pesadelos apócrifos de Damáscio e passagens infames da delirante *Imagem do mundo* de Gautier de Metz. Repeti bizarros excertos e murmurei coisas sobre Afrasiab e os demônios que desciam com ele o rio Oxo; mais tarde entoei várias vezes uma frase dos contos de Lord Dunsany – "o negror adiáfano do abismo". Assim que o declive se tornou incrivelmente íngreme, recitei, cantarolado, Thomas Moore até ficar com medo de prosseguir:

Dique de treva, negro
Como caldeirão de bruxa, cheio
De drogas lunares destiladas no eclipse.
Inclinado para ver se dava pé
Naquele abismo, vi, por baixo,
Tão longe quanto a vista alcançava,
Os molhes escuros lisos como vidros,
Como se acabados de envernizar
Com aquele breu escuro que o Mar da Morte
Vomita em sua costa viscosa.

O tempo havia quase deixado de existir quando meus pés voltaram a sentir o leito plano, e me vi em um lugar um pouco mais elevado que as salas dos dois templos menores, agora incalculavelmente acima da minha cabeça. Eu não conseguia exatamente ficar em pé, mas conseguia ficar ereto de joelhos no chão, e no escuro me arrastei e rastejei, para lá e para cá, a esmo. Logo percebi que estava em um corredor estreito cujas paredes eram mobiliadas por gabinetes de madeira com vitrines. Quando notei a madeira polida e o vidro naquele lugar paleozoico e abismal, estremeci diante das possíveis implicações. Os gabinetes pareciam alinhados de um dos lados do corredor com espaçamentos regulares e eram oblongos e horizontais, macabramente semelhantes a caixões em formato e tamanho. Quando tentei deslocar dois ou três deles para uma análise mais detida, descobri que estavam firmemente fixos.

Vi que o corredor era comprido, portanto resolvi percorrê-lo com rapidez e corri agachado, de um modo que teria parecido horrível se houvesse alguém me observando naquela escuridão; atravessando de um lado para o outro, de quando em quando, para tatear os arredores e garantir que as paredes e fileiras de gabinetes continuavam ali. O homem está tão acostumado a pensar visualmente que eu tinha quase me esquecido da escuridão e imaginei um corredor interminável de madeira e vidro, baixo e monótono, como se o estivesse vendo. E então, em um momento de indescritível emoção, pude vê-lo.

Não sei dizer o momento exato em que minha imaginação se fundiu à visão real, mas se formou um clarão gradual na minha frente, e de repente entendi que estava vendo na penumbra os contornos do corredor e os gabinetes, revelados por alguma fosforescência subterrânea desconhecida. Durante algum tempo, tudo era exatamente como eu havia imaginado, uma vez que o brilho era muito fraco; contudo, como eu continuava mecanicamente avançando em direção à luz mais forte, me dei conta de que minha imaginação é que havia sido débil. O salão não era nenhuma relíquia rústica como os templos da cidade lá em cima, mas um monumento da arte mais magnífica e exótica. Arte rica, vívida e ousadamente fantástica, objetos e imagens formavam um esquema contínuo de pintura mural, cujos traços e cores eram algo além de qualquer descrição. Os gabinetes eram de uma estranha madeira dourada, com vitrines de cristais finíssimos, e continham as formas mumificadas de criaturas que em seu grotesco superavam os sonhos mais caóticos dos homens.

Transmitir alguma ideia dessas monstruosidades é impossível. Eram uma espécie de répteis, e seus traços corporais sugeriam às vezes crocodilos, às vezes focas, mas em geral não eram nada que nenhum naturalista ou paleontólogo jamais ouviu falar. Eram do tamanho aproximado de um homem pequeno, e as patas dianteiras tinham pés delicados e evidentemente flexíveis, curiosamente semelhantes a mãos e dedos humanos. Porém o mais estranho de tudo eram as cabeças, que apresentavam um contorno que violava todos os princípios biológicos conhecidos. Tais criaturas não podiam ser bem comparadas a nada – na mesma hora me ocorreram comparações variadas com gato, buldogue, o mítico Sátiro e o ser humano. Nem o próprio Jove tinha uma testa tão colossal e protuberante, embora os chifres e a ausência de nariz e a mandíbula crocodiliana colocassem as coisas fora de qualquer categoria estabelecida. Refleti por algum tempo sobre a realidade das múmias, suspeitando um pouco que talvez fossem ídolos artificiais, mas logo concluí que eram mesmo espécies paleogênicas que tinham vivido quando a cidade sem nome estava viva. Para coroar o grotesco, a maioria estava elegantemente trajada com os tecidos mais elaborados e luxuosamente ornada de ouro, joias e reluzentes metais desconhecidos.

A importância daqueles seres rastejantes devia ter sido vasta, pois ocupavam o primeiro plano entre os delirantes afrescos das paredes e do teto. Com habilidade incomparável, o artista os retratara em seu próprio mundo, onde tinham cidades e jardins apropriados a suas dimensões; e não pude deixar de pensar que aquela história pictórica era uma alegoria, talvez mostrando o progresso da raça que os idolatrara. Essas criaturas, pensei comigo, eram para os homens da cidade sem nome o que foi a loba para Roma, ou os animais totêmicos para uma tribo indígena.

Registrando essa visão, pensei que conseguiria esboçar grosseiramente um maravilhoso épico da cidade sem nome; a história de uma pujante metrópole do litoral que dominou o mundo antes que a África se erguesse dos mares, e suas lutas quando o mar recuou e o deserto rastejou para dentro do vale fértil que a continha. Vi suas guerras e triunfos, suas agruras e derrotas, e depois sua luta terrível contra o deserto, quando milhares de seu povo – ali representado em alegoria pelos grotescos répteis – foram obrigados a descer, atravessando as rochas de alguma maneira fantástica, para outro mundo sobre o qual seus profetas lhes haviam contado. Tudo era vividamente bizarro e realista, e sua conexão com a impressionante descida que fiz era indiscutível. Reconheci até mesmo os corredores.

Enquanto eu rastejava pelo corredor em direção à luz mais brilhante, vi os estágios posteriores da épica pintura – a despedida da raça que habitara a cidade sem nome e o vale do entorno por dez milhões de anos; raça cujas almas hesitaram em abandonar cenários que seus corpos conheceram por tanto tempo, onde haviam se instalado como nômades na juventude da terra, entalhando na rocha virgem aqueles relicários primitivos diante dos quais eles jamais cessaram de idolatrar. Agora que a luz estava melhor, analisei as figuras mais de perto e, lembrando que os estranhos répteis deviam representar os homens desconhecidos, ponderei a respeito dos costumes da cidade sem nome. Muitas coisas eram peculiares e inexplicáveis. A civilização, que incluía um alfabeto escrito, parecia ter alcançado uma ordem superior às civilizações incomensuravelmente posteriores do Egito e da Caldeia, e no entanto havia omissões curiosas. Por exemplo, não encontrei nenhuma imagem representando mortes ou costumes funerários, exceto as relacionadas à guerra, à violência e à peste, e estranhei a reticência mostrada em relação à morte natural. Era como se um ideal de imortalidade terrena tivesse sido fomentado como uma ilusão animadora.

Ainda mais perto do fim do corredor, havia cenas pintadas com o máximo de excentricidade e extravagância; imagens contrastantes da cidade sem nome em sua desertificação e sua crescente ruína, e do estranho novo domínio ou paraíso em direção ao qual aquela raça entalhara seu caminho através da rocha. Nessas imagens, a cidade e o vale deserto eram mostrados sempre ao luar, uma nuvem dourada pairando sobre os muros derrubados e revelando partes da esplêndida perfeição dos tempos passados, mostrada espectral e elusivamente pelo artista. As cenas paradisíacas eram quase extravagantes demais para serem críveis, retratando um mundo oculto, de dia eterno, cheio de gloriosas cidades e colinas e vales etéreos. Na última cena, pensei ver sinais de um anticlímax artístico. As pinturas eram menos hábeis, e muito mais bizarras até do que as mais delirantes das cenas anteriores. Pareciam registrar uma lenta decadência da cepa antiga, acompanhada de uma crescente ferocidade em relação ao mundo exterior de onde haviam sido trazidos pelo deserto. A forma das pessoas – sempre representadas pelos répteis sagrados – parecia gradualmente definhar, embora seu espírito, mostrado pairando sobre as ruínas ao luar, ganhasse em proporção. Sacerdotes cadavéricos, expostos como répteis em túnicas ornamentadas, amaldiçoavam o ar superior e todos que o respiravam; e uma terrível cena final mostrava um homem de aparência primitiva, talvez um pioneiro da antiga Irem, a Cidade dos Pilares, sendo despedaçado por membros da raça mais velha. Lembrei-me de como os árabes temiam a cidade sem nome e fiquei contente porque a partir daquele ponto as paredes e o teto cinzentos não eram mais pintados.

Enquanto observava a sequência de história mural, fui me aproximando mais do fim do salão de teto baixo e me dei conta de que havia ali um grande portão, através do qual passava a luminosa fosforescência. Arrastando-me até lá, gritei em espanto transcendente diante do que havia atrás das grades, pois, em vez de outras câmaras ainda mais iluminadas, havia apenas um vazio ilimitado de radiância uniforme, como se imaginaria ao contemplar do alto do Monte Everest um mar de neblina ensolarada. Atrás de mim, havia um corredor tão estreito que eu não podia ficar em pé dentro dele; diante de mim, um infinito de subterrânea refulgência.

Descendo pelo corredor em direção ao abismo, ficava o topo de uma escada íngreme – diversos pequenos degraus como os dos corredores escuros que eu tinha atravessado –, mas, após poucos passos, os vapores reluzentes escondiam tudo. Escancarada na parede da esquerda do corredor havia uma porta de latão imensa, incrivelmente grossa e decorada com fantásticos baixos-relevos, que, se pudesse ser fechada, vedaria todo aquele mundo interior de luz das cavernas e corredores de rocha. Olhei para os degraus, e naquele momento não arrisquei pisá-los.

Toquei a porta aberta de latão, e não consegui movê-la. Então me inclinei no leito de pedra, minha cabeça ardente de prodigiosas reflexões que nem mesmo uma exaustão mortal poderia afastar.

Ali deitado, de olhos fechados, livre para ponderar, muitas coisas que eu mal havia reparado nos afrescos voltaram com novo e terrível significado – cenas representando a cidade sem nome em seu auge, a vegetação do vale ao redor e as terras distantes com as quais seus mercadores negociavam. A alegoria das criaturas rastejantes me intrigou por sua proeminência universal, e imaginei que devia ser seguida à risca em uma história pictórica tão importante. Nos afrescos, a cidade sem nome aparecia em proporções adequadas aos répteis. Perguntei-me como teriam sido as verdadeiras proporções e sua magnificência, e refleti por um momento sobre certas estranhezas que havia reparado nas ruínas. Achei curiosos os tetos baixos dos templos primitivos e do corredor subterrâneo, que sem dúvida haviam sido escavados assim em deferência às divindades reptilianas que eles adoravam, embora obrigasse os adoradores a rastejar. Talvez os próprios ritos envolvessem rastejar imitando as criaturas. Nenhuma teoria religiosa, contudo, poderia explicar por que a passagem plana naquela impressionante descida precisava ser também baixa como os templos – ou ainda mais baixa, uma vez que não se podia nem ajoelhar ali dentro. Quando pensei nas criaturas rastejantes, cujas hediondas formas mumificadas estavam tão perto, senti outra palpitação de pavor. As associações mentais são curiosas, e hesitei diante da ideia de que, além do pobre homem primitivo despedaçado na última pintura, a minha era a única forma humana em meio aos muitos relicários e símbolos da vida primordial.

Mas, como sempre em minha existência estranha e itinerante, logo o deslumbramento expulsou o medo, pois o abismo luminoso e o que ele podia conter apresentavam um problema digno de um grande explorador. De que um mundo estranho de mistério jazia lá embaixo, depois daqueles degraus peculiarmente pequenos, eu não tinha dúvida, e esperava descobrir ali os memoriais humanos que o corredor pintado deixara de mostrar. Os afrescos representavam incríveis cidades, serras e vales naquele domínio subterrâneo, e minha imaginação se projetou nas ricas e colossais ruínas que me aguardavam.

Meus temores, na verdade, eram mais quanto ao passado do que ao futuro. Nem mesmo o horror físico da minha posição no corredor estreito dos répteis mortos e afrescos antediluvianos, quilômetros abaixo do mundo que eu conhecia e confrontado por outro mundo de luz e neblina ignotas, poderia se igualar ao pavor letal que senti diante da antiguidade abismal do cenário e de sua alma. Uma antiguidade tão vasta que tentar medi-la seria insignificante parecia espreitar das primitivas rochas e dos templos esculpidos na cidade sem nome, enquanto os últimos mapas espantosos nos afrescos mostravam oceanos e continentes que o homem esqueceu, apenas aqui e ali demonstrando algum contorno vagamente familiar. O que poderia ter acontecido nas eras geológicas desde que a pintura havia sido terminada e aquela raça que odiava a morte ressentidamente havia sucumbido à decadência, ninguém pode dizer. A vida outrora vicejara naquelas cavernas e no domínio luminoso além dali; agora eu estava sozinho com vívidas relíquias e estremeci ao pensar nas incontáveis eras que aquelas relíquias passaram em vigília silenciosa e deserta.

De repente, senti outro surto daquele medo agudo e intermitente que me dominava desde o instante em que vi pela primeira vez o vale terrível e a cidade sem nome, sob uma lua fria, e, apesar da minha exaustão, eu me vi freneticamente buscando uma postura sentada e olhei para trás no corredor escuro, na direção dos túneis que se erguiam para o mundo externo. Minhas sensações foram muito semelhantes às que me fizeram evitar a cidade sem nome à noite, e tão inexplicáveis quanto pungentes.

No momento seguinte, contudo, senti um choque ainda maior na forma de um som definido – o primeiro a romper o completo silêncio daquelas profundezas sepulcrais. Era um gemido grave, baixo, como um coro distante de espíritos condenados, e vinha da direção para a qual meus olhos estavam voltados. O volume cresceu rapidamente, até que logo reverberou de forma assustadora através do corredor baixo, e ao mesmo tempo me dei conta da corrente de ar frio cada vez mais intensa, que também fluía dos túneis e da cidade acima de mim. O contato com esse ar aparentemente restaurou meu equilíbrio, pois no mesmo instante me lembrei das súbitas lufadas que se erguiam da boca do abismo no ocaso e na aurora, um dos quais havia servido para me revelar a existência dos túneis ocultos. Olhei para meu relógio e vi que o sol estava para nascer, então me segurei para resistir à ventania que descia de volta para sua caverna, assim como havia subido ao anoitecer. Meu medo passou mais uma vez, pois os fenômenos naturais tendem a dispersar elucubrações sobre o desconhecido.

Cada vez mais enlouquecidamente o vento estridente e lamuriento da noite se despejava naquele golfo da terra interior. Inclinei-me no chão outra vez e me agarrei em vão, com medo de ser levado fisicamente através do portão aberto para dentro do abismo fosforescente. Tamanha fúria eu não esperava e, conforme fui me dando conta de que de fato estava escorregando em direção ao abismo, vi-me atacado por mil novos terrores de apreensão e imaginação. A malignidade da lufada despertou fantasias incríveis; mais uma vez me comparei, trêmulo, à única outra imagem humana no apavorante corredor, o homem despedaçado pela raça sem nome, pois nas garras demoníacas das correntes em torvelinho parecia existir uma raiva vingativa ainda mais forte por ser em grande medida impotente. Creio que gritei freneticamente perto do final – eu estava quase ensandecido –, mas se gritei minha voz se perdeu na babel infernal de ventos uivantes fantasmagóricos. Tentei rastejar no sentido contrário ao da invisível torrente assassina, mas não conseguia sequer me manter no lugar, pois estava sendo empurrado lenta e inexoravelmente em direção ao mundo desconhecido.

Enfim a razão deve ter se rompido, pois comecei a balbuciar sem parar o inexplicável dístico de Alhazred, o árabe louco, que sonhara com a cidade sem nome:

Não morre o que pode eternamente permanecer,
E, após estranhos éons, até a morte pode morrer.

Apenas os sinistros e lamurientos deuses do deserto sabem o que realmente aconteceu – que lutas e esforços indescritíveis no escuro suportei, ou que Abaddon me guiou de volta à vida, onde devo sempre me lembrar e estremecer quando sopra o vento da noite até o esquecimento, ou coisa pior, vir me levar. Monstruosa, desnatural, colossal, era a coisa – muito além de todas as ideias humanas para ser crível, exceto nas desgraçadas horas silenciosas da madrugada quando não se consegue dormir.

Eu disse que antes a fúria da célere lufada era infernal – cacodemoníaca –, que suas vozes eram hediondas, com a malícia reprimida das eternidades desoladas. Agora essas vozes, embora ainda caóticas diante de mim, pareciam ao meu cérebro pulsante assumir forma articulada às minhas costas; e lá embaixo na tumba das antiguidades mortas há muitas eras, léguas abaixo do mundo dos homens iluminado pela aurora, ouvi as maldições e os rosnados macabros de demônios com línguas bizarras. Virando-me, vi em silhueta contra o éter luminoso do abismo o que não podia ser visto contra a penumbra do corredor – uma horda de demônios apressados, como saídos de pesadelos; distorcidos pelo ódio, grotescamente trajados, quase transparentes; demônios de uma raça que nenhum homem poderá confundir. Eram os répteis rastejantes da cidade sem nome.

E quando o vento passou, fui lançado no negror povoado de monstros das entranhas da terra, pois atrás da última criatura a grande porta escancarada bateu e fechou com um dobre ensurdecedor de música metálica, cujas reverberações subiram para o mundo distante para saudar o sol nascente, como Mêmnon o saúda das margens do Nilo.

AZATHOTH

Quando a idade se abateu sobre o mundo, e a imaginação deixou a mente dos homens; quando as cidades cinzentas ergueram para o céu fumacento altas torres sombrias e feias, em cujas sombras ninguém podia sonhar com o sol ou com os prados floridos da primavera; quando o conhecimento despiu a terra de seu manto de beleza e os poetas não cantavam nada além de fantasmagorias distorcidas vistas com olhos lacrimosos e introspectivos; quando essas coisas aconteceram e as esperanças infantis desapareceram para sempre, houve um homem que viajou para fora da vida em busca dos espaços para os quais os sonhos do mundo haviam fugido.

Sobre o nome e a residência desse homem pouco se escreveu, pois serviam apenas para o mundo da vigília, embora se diga que eram ambos obscuros. Basta saber que ele morava em uma cidade de altos muros onde reinava um crepúsculo estéril, e que ele labutava o dia inteiro em meio à sombra e o alvoroço, voltando para casa ao anoitecer, para um quarto cuja única janela dava não para os campos e bosques, mas para um pátio escuro onde outras janelas se abriam em mudo desespero. Daquela abertura, podia-se ver apenas mais muros e janelas, exceto às vezes quando alguém se inclinava para fora e olhava para o alto, e via pequenas estrelas que passavam. E, porque meros muros e janelas logo levam à loucura um homem que sonha e lê demais, o morador daquele quarto costumava, noite após noite, inclinar-se para fora e olhar para o alto tentando ver de relance algum fragmento das coisas além do mundo da vigília e do cinza das altas torres das cidades. Depois de anos, ele começou a chamar pelo nome as estrelas que passavam lentamente e a acompanhá-las na imaginação quando deslizavam, melancólicas, para fora de sua visão; até que enfim sua visão se abriu para muitas vistas secretas de cuja existência nenhum olho comum sequer desconfia. E certa noite um imenso golfo se transpôs, e os céus assombrados de sonhos se expandiram até a janela do observador solitário e se fundiram com o ar fechado de seu quarto e fizeram dele parte de sua fabulosa maravilha.

Vieram àquele quarto torrentes selvagens do roxo da meia-noite com reluzente ouro em pó, vórtices de pó e fogo, espiralando-se para fora dos espaços mais remotos, e pesados com perfumes de além dos mundos. Oceanos opiáceos ali desaguaram, iluminados por sóis que os olhos jamais contemplariam, e contendo em seus torvelinhos estranhos golfinhos e ninfas marinhas de profundezas imemoriais.

Infinitos silenciosos rodopiaram ao redor do sonhador e levaram-no embora flutuando, sem sequer tocar o corpo, rigidamente inclinado para fora da janela solitária; e por dias incontáveis nos calendários humanos as marés de esferas remotas levaram-no delicadamente para se juntar aos sonhos pelos quais ele ansiava; os sonhos que os homens haviam perdido. E no decurso de muitos ciclos, com ternura, deixaram-no dormir em um litoral verdejante e ensolarado; um litoral verdejante com a fragrância das flores de lótus e estrelado de camalotes vermelhos.

O CÃO

I

Nos meus ouvidos torturados, soam incessantemente um pesadelo, sibilante e esvoaçante, e um fraco e distante uivo, como o de um cão gigantesco. Não se trata de um sonho – nem mesmo, receio, loucura –, pois já me aconteceu muita coisa para eu ter essas dúvidas apaziguadoras. St. John é um cadáver despedaçado; só eu sei por quê, e esse conhecimento é algo de tal ordem que estou prestes a dar um tiro na cabeça por medo de ser despedaçado do mesmo modo. Por corredores escuros e ilimitados de imaginação sobrenatural, desce a negra e informe Nêmesis que me leva à autoaniquilação.

Que os céus perdoem a loucura e a morbidez que nos levaram a destino tão monstruoso! Cansados dos lugares-comuns de um mundo prosaico, onde mesmo as alegrias do romance e da aventura logo ficam rançosas, St. John e eu acompanhávamos entusiasticamente cada movimento estético e intelectual que prometesse alívio ao nosso tédio devastador. Os enigmas dos simbolistas e os êxtases dos pré-rafaelitas foram todos nossos em seu momento, mas cada nova atmosfera era logo drenada de toda novidade e apelo divertido. Apenas a sombria filosofia dos decadentistas poderia nos conter, e mesmo esta só consideramos potente aumentando de maneira gradual a profundidade e o diabolismo de nossas penetrações. Baudelaire e Huysmans logo foram exauridos de frenesi, até que enfim só nos restaram os estímulos mais diretos de experiências e aventuras pessoais desnaturadas. Foi essa pavorosa necessidade emocional que acabou nos levando para o detestável rumo que, mesmo no meu temor atual, menciono apenas com vergonha e timidez – aquela extremidade hedionda do ultraje humano, a odiosa prática da violação de sepulturas.

Não posso revelar os detalhes de nossas chocantes expedições nem catalogar parcialmente os piores troféus que adornavam o inominável museu que organizamos na grande casa de pedra onde morávamos juntos, sozinhos e sem criados. Nosso museu era um lugar blasfemo, impensável, onde, com o gosto satânico dos virtuoses neuróticos, reunimos um universo de terror e decadência para excitar nossas sensibilidades fatigadas. Era uma sala secreta, subterrânea, muito profunda, onde imensos demônios alados esculpidos em basalto e ônix vomitavam de bocarras sorridentes estranhas luzes verdes e laranja, e tubos pneumáticos ocultos moviam em caleidoscópicas danças macabras os fios de criaturas descarnadas, costuradas de mãos dadas, em volumosas armações negras. Através desses tubos, vinham, ao nosso comando, os odores que nosso temperamento mais desejava; ora o aroma de pálidos lírios funéreos, ora o incenso narcótico de imaginados relicários orientais de mortes luxuosas, e às vezes – como estremeço ao lembrar! – o fedor de repugnar a alma das sepulturas abertas.

Junto às paredes dessa câmara repelente, havia gabinetes de antigas múmias, alternando-se com corpos comuns, que pareciam vivos, perfeitamente empalhados e embalsamados pela arte do taxidermista, e lápides furtadas dos mais velhos cemitérios do mundo. Nichos aqui e ali continham crânios de todos os formatos e cabeças conservadas em diversos estágios de dissolução. Ali era possível encontrar escalpos calvos de famosos nobres e as cabeças frescas e radiantemente douradas de crianças recém-enterradas. Esculturas e pinturas também havia, todas de modelos demoníacos e algumas executadas por St. John e por mim. Um livro aferrolhado, encadernado em pele humana curtida, continha certos desenhos desconhecidos e inomináveis que se dizia terem sido feitos por Goya, mas cuja autoria o artista não ousara admitir. Havia nauseantes instrumentos musicais, de cordas, metais e madeiras, nos quais St. John e eu às vezes produzíamos dissonâncias de elaborada morbidez e cacodemoníaca ignomínia; enquanto em uma infinidade de gabinetes de ébano lavrado repousava a mais incrível e inimaginável variedade de saques e pilhagens de sepulturas jamais reunida pela loucura e perversidade humanas. É sobre esse butim em particular que não devo falar – graças a Deus tive a coragem de destruí-lo antes de pensar em destruir a mim mesmo.

As excursões predatórias em que coletávamos nossos indizíveis tesouros eram sempre eventos artisticamente memoráveis. Não éramos monstros vulgares, mas trabalhávamos apenas sob certas condições de humor, paisagem, ambiente, clima, estação e luar. Esses passatempos eram para nós a forma mais sofisticada de expressão estética, e dedicávamos a seus detalhes um incansável cuidado técnico. Uma hora inapropriada, um efeito de luz chocante ou uma manipulação desajeitada do barro molhado destruíam quase totalmente a comichão extática que se seguia à exumação de algum segredo aziago e escarnecedor da terra. Nossa busca por novos cenários e condições pungentes era febril e insaciável – St. John era sempre o líder, e foi ele quem enfim mostrou o caminho àquele local enganoso, aquele lugar amaldiçoado que nos trouxe a nosso destino hediondo e inevitável.

Por que maligna fatalidade tínhamos sido atraídos àquele terrível cemitério holandês? Creio que foram os rumores e as lendas obscuras, as histórias de alguém enterrado por cinco séculos que havia sido um monstro durante a vida e roubado um objeto poderoso de um imponente mausoléu. Nesses momentos finais, ainda recordo a cena – a lua pálida do outono sobre as sepulturas, lançando longas sombras horríveis; as árvores grotescas, soturnamente pensas sobre a grama descuidada e as lápides esboroadas; as vastas legiões de morcegos estranhamente colossais que esvoaçavam contra a lua; a antiga igreja coberta de hera apontando um imenso dedo espectral ao céu lívido; os insetos fosforescentes que dançavam como fogos-fátuos sob os teixos em um recanto remoto; os odores de mofo, vegetação e coisas menos explicáveis que se mesclavam debilmente com o vento da noite vindo de longínquos pântanos e mares; e o pior de tudo, o uivo fraco e grave de uma espécie de cão gigantesco que não podíamos nem ver nem localizar definitivamente. Quando ouvimos essa sugestão de uivo, estremecemos, lembrando das histórias dos camponeses, pois aquele que buscávamos havia sido encontrado séculos antes naquele mesmo local, despedaçado e arranhado pelas garras e dentes de alguma besta indizível.

Lembrei-me de como nos enfiamos na sepultura daquele monstro com nossas pás e de como ficamos entusiasmados com aquela imagem de nós mesmos, a sepultura, a pálida lua vigilante, as sombras horrendas, as árvores grotescas, os morcegos titânicos, a igreja antiga, a dança dos fogos-fátuos, os odores nauseantes, o gemido delicado da brisa noturna e o uivo estranho, entreouvido, a esmo, de cuja existência objetiva mal podíamos ter certeza. Então atingimos uma substância mais dura que o mofo úmido e contemplamos uma caixa oblonga apodrecida, incrustada de depósitos minerais do terreno por tanto tempo intocado. Era incrivelmente dura e grossa, mas tão antiga que por fim a arrombamos e saciamos nossos olhos no que continha.

Muito – incrivelmente muito – havia sobrevivido do objeto, apesar do lapso de quinhentos anos. O esqueleto, embora fraturado em alguns lugares pelas mandíbulas da criatura que o matara, mantinha-se inteiro com surpreendente firmeza, e nos regozijamos com o crânio branco e limpo, seus dentes longos e firmes, e suas órbitas vazias que outrora brilharam com uma febre carnal como a nossa. No caixão, jazia um amuleto de desenho curioso e exótico, que parecia ter sido usado em volta do pescoço do defunto. Era uma figura estranhamente estilizada de um cão alado agachado, ou esfinge de rosto semicanino, e sofisticadamente esculpida à antiga maneira oriental em um pequeno pedaço de jade verde. A expressão de seus traços faciais era repulsiva ao extremo, recendente ao mesmo tempo a morte, bestialidade e malevolência. Ao redor da base havia uma inscrição em caracteres que nem St. John nem eu pudemos identificar; e embaixo, como um selo do fabricante, havia gravada uma grotesca e formidável caveira.

Ao contemplar esse amuleto, na mesma hora soubemos que precisávamos possuí-lo, que esse tesouro seria logicamente nosso único saque da sepultura centenária. Mesmo que seu desenho não nos fosse familiar, nós o teríamos desejado, mas ao olharmos mais de perto vimos que não era totalmente desconhecido. Sem dúvida era alienígena a toda arte e literatura que os leitores sãos e equilibrados conhecem, porém o reconhecemos como o objeto sugerido no proibido *Necronomicon*, do árabe louco Abdul Alhazred – o macabro símbolo da alma do culto canibal da inacessível Leng, na Ásia Central. Traçamos bem até demais as sinistras linhas descritas pelo antigo demonologista árabe; linhas, escreveu ele, traçadas a partir de obscuras manifestações sobrenaturais das almas daqueles que aborreciam e atormentavam os mortos.

Recolhendo o objeto de jade verde, demos uma última espiada no rosto esbranquiçado e nos olhos cavernosos de seu dono e fechamos a cova, deixando-a como a havíamos encontrado. Na fuga apressada daquele local repulsivo, com o amuleto roubado no bolso de St. John, pensamos ter visto os morcegos descerem em revoada para dentro da terra que havíamos revolvido, como se buscassem algum alimento maldito e profano. Mas a lua do outono brilhava fraca e pálida, e não podíamos ter certeza. E, de novo, quando embarcamos no dia seguinte para voltar da Holanda para casa, pensamos ter ouvido o uivo fraco e distante de um cão gigantesco ao longe. Mas o vento de outono gemia triste e esvaído, e não pudemos ter certeza.

II

Menos de uma semana depois de nosso retorno à Inglaterra, coisas estranhas começaram a acontecer. Vivíamos como reclusos, privados de amigos, sozinhos e sem criados, em poucos cômodos de uma antiga mansão em uma charneca desolada e erma; de modo que nossas portas raramente eram perturbadas pelas batidas de uma visita. Agora, no entanto, vínhamos sendo incomodados pelo que pareciam ser tentativas de entrar na casa, quase toda noite, não só pelas portas, mas também pelas janelas, altas e baixas. Certa vez imaginamos que havia um corpo grande e opaco sombreando a janela da biblioteca com a lua brilhando por trás, e em outro momento pensamos ter ouvido um chiado ou bater de asas não muito distante. Em ambas as ocasiões, nossas investigações nada revelaram, e começamos a atribuir tais ocorrências apenas à imaginação – a mesma imaginação curiosamente perturbada que ainda prolongava em nossos ouvidos o uivo distante que pensamos ter ouvido no cemitério holandês. O amuleto de jade agora repousava em um nicho de nosso museu, e às vezes acendíamos velas de perfume estranho diante dele. Lemos muito no *Necronomicon* de Alhazred sobre suas propriedades e sobre a relação das almas dos monstros com os objetos que ele simbolizava, e ficamos abalados com o que lemos. Então veio o terror.

Na noite de 24 de setembro de 19**, ouvi uma batida na porta do meu quarto. Imaginando que fosse St. John, mandei entrar, mas a resposta foi apenas uma gargalhada estridente. Não havia ninguém no corredor. Quando acordei St. John de seu sono, ele afirmou ignorar completamente o ocorrido e ficou tão preocupado quanto eu. Foi nessa noite que o uivo fraco e remoto sobre a charneca se tornou para nós uma realidade certa e pavorosa. Quatro dias depois, quando estávamos ambos em nosso museu particular, ouvimos arranhões baixos e cautelosos na única porta que dava para a escada secreta da biblioteca. Nossa preocupação então foi dobrada, pois, além do medo do desconhecido, sempre tivemos pavor de que nossa sombria coleção pudesse ser descoberta. Apagando todas as luzes, fomos até a porta e a abrimos subitamente; nesse instante sentimos uma lufada de ar inexplicável e ouvimos como se recuasse ao longe uma estranha combinação de farfalhar, risos e conversas articuladas. Se tínhamos ficado loucos, se estávamos sonhando ou em sã consciência, nem tentamos determinar. Apenas nos demos conta, com a mais sombria apreensão, de que a conversa aparentemente dispersada pela nossa presença era sem dúvida *em holandês.*

Depois disso vivemos um horror e um fascínio cada vez maiores. A maior parte do tempo nos aferramos à teoria de que estávamos os dois enlouquecendo naquela nossa vida de excitações desnaturadas, mas às vezes nos agradava mais dramatizar a nós mesmos como vítimas de alguma desgraça lenta, rastejante e aterradora. Manifestações bizarras agora eram frequentes demais para contá-las. Nossa casa isolada parecia viva com a presença de algum ser maligno cuja natureza não podíamos adivinhar, e toda noite o uivo demoníaco pairava no vento sobre a charneca, cada vez mais alto. No dia 29 de outubro, encontramos na terra fofa embaixo da janela da biblioteca uma série de pegadas inteiramente indescritíveis. Era intrigante como as hordas de grandes morcegos assombravam a velha mansão em número sem precedentes e cada vez maior.

O horror chegou ao ápice no dia 18 de novembro, quando St. John, voltando a pé, às escuras, da distante estação de trem, foi atacado e dilacerado por uma apavorante criatura carnívora. Seus gritos chegaram até a casa, e eu corri para a cena terrível a tempo de escutar um farfalhar de asas e ver uma criatura indistinta, negra e nebulosa, em silhueta à luz da lua que nascia. Meu amigo estava morrendo quando falei com ele e não conseguiu me dizer nada coerente. A única coisa que ele fazia era sussurrar: "O amuleto, maldito amuleto..." Então caiu desacordado, uma massa inerte de carne dilacerada.

Enterrei-o à meia-noite do dia seguinte em um de nossos jardins abandonados e murmurei sobre seu corpo morto as palavras de um dos ritos demoníacos que ele adorara em vida. E, quando pronunciei a última sentença satânica, ouvi ao longe sobre a charneca o uivo fraco de um cão gigantesco. A lua estava alta, mas não ousei olhar. E, ao ver na penumbra da charneca enluarada uma vasta sombra nebulosa saltando de monte em monte, fechei os olhos e me lancei ao chão com a cabeça abaixada. Quando me reergui, trêmulo, não sei quanto tempo depois, entrei na casa e fiz chocantes reverências diante do relicário do amuleto de jade verde.

Agora receoso de viver sozinho na antiga casa da charneca, parti no dia seguinte para Londres, levando comigo apenas o amuleto, depois de ter destruído com fogo ou enterrado o restante do profano acervo do museu. Mas depois de três noites tornei a ouvir os uivos, e após uma semana passei a sentir olhos estranhos voltados para mim quando escurecia. Uma noite, passeando pelo Victoria Embankment para tomar ar, vi uma forma negra obscurecer um reflexo dos lampiões na água. Um vento mais forte que a brisa da noite soprou, e entendi que o que havia acontecido a St. John em breve aconteceria comigo.

No dia seguinte, embalei cuidadosamente o amuleto de jade verde e zarpei para a Holanda. Se eu esperava compaixão ao devolver o objeto a seu silencioso e falecido dono, não sei dizer, mas senti que devia ao menos tentar tomar alguma atitude que fosse aparentemente lógica. O que era aquele cão e por que me perseguia eram perguntas ainda vagas; contudo eu havia escutado o uivo pela primeira vez naquele antigo cemitério, e todos os acontecimentos subsequentes, inclusive o sussurro de St. John ao morrer, serviram para associar a maldição ao furto do amuleto. Assim afundei no insondável abismo do desespero quando, em uma pensão em Roterdã, descobri que ladrões me haviam despojado desse único recurso à salvação.

O uivo foi alto essa noite, e de manhã li sobre um acontecimento ignóbil no bairro mais vil da cidade. O povo estava aterrorizado, pois em um endereço maldito ocorrera uma morte sangrenta, o crime mais hediondo já cometido no bairro. Em um sórdido antro de bandidos, uma família inteira havia sido esquartejada por uma criatura que não deixara qualquer rastro, e os vizinhos tinham ouvido a noite inteira, acima do clamor usual de vozes embriagadas, as notas fracas, graves e insistentes do uivo de um cão gigantesco.

Então, enfim, pisei novamente aquele cemitério profano, onde uma pálida lua invernal lançava sombras medonhas, e as árvores desfolhadas pendiam melancólicas até a relva seca e congelada e as lápides rachadas, e a igreja coberta de heras apontava um dedo zombeteiro para o céu hostil, e o vento da noite bramia ensandecidamente sobre os charcos congelados e os mares gélidos. O uivo agora estava muito fraco e cessou por completo quando me aproximei do antigo mausoléu que outrora violara, e espantei uma horda bizarramente numerosa de morcegos que até então esvoaçavam, curiosos, por ali.

Não sei por que fui até lá, a não ser para rezar ou pedir em espasmódicas súplicas insanas desculpas para a serena criatura esbranquiçada que ali jazia; mas, fosse qual fosse meu motivo, o certo é que ataquei a terra quase congelada com um desespero em parte meu e em parte de uma vontade imperiosa alheia a mim mesmo. A escavação foi muito mais fácil do que eu esperava, porém a certa altura me deparei com uma estranha interrupção: um abutre despencou do céu frio e começou a bicar freneticamente a terra da sepultura, até que o matei com um golpe de pá. Enfim atingi a caixa oblonga apodrecida e retirei a tampa úmida e nitrosa. Esse foi o último ato racional que executei.

Pois encolhida dentro do caixão centenário, envolvida pelo pesadelo de um séquito vasto de imensos e musculosos morcegos adormecidos, estava a criatura esquelética que meu amigo e eu havíamos roubado; não limpa e plácida como nós a havíamos visto, mas coberta de sangue seco e resquícios de carne e cabelos alienígenas, e me olhava aparentando consciência e ironia com suas órbitas fosforescentes e afiadas presas ensanguentadas, arreganhadas em estranho escárnio do meu destino inevitável. E quando a criatura emitiu da mandíbula arreganhada um uivo grave, sardônico, como se fosse um cão gigantesco, e vi em suas garras sangrentas e asquerosas o perdido e fatídico amuleto de jade verde, simplesmente dei um grito e fugi correndo feito um idiota, meus gritos logo dissolvidos em estrépitos de gargalhada histérica.

A loucura cavalga o vento das estrelas... garras e dentes afiados em séculos de cadáveres... morte gotejante montada em um bacanal de morcegos saídos de ruínas negras como a noite de templos soterrados de Belial... Agora, como o uivo daquela monstruosidade morta e descarnada se torna cada vez mais alto, e o furtivo chiado e o bater daquelas malditas asas membranosas circula cada vez mais perto, buscarei com meu revólver o esquecimento, que é meu único refúgio contra o inominado e o inominável.

O FESTIVAL

"Efficiunt Daemones,
ut quae non sunt, sic tamen quasi sint,
conspicienda hominibus exhibeant."[1]
– LACTÂNCIO

Eu estava longe de casa, e o encanto do mar do leste agia sobre mim. Ao crepúsculo, ouvi o bater das águas nas pedras, e soube que o mar estava logo depois da colina onde os salgueiros tortos se contorciam contra o céu que clareava e as primeiras estrelas da noite. E, porque meus antepassados haviam me chamado para a velha cidade além, eu abri caminho através da neve rasa, recém-caída, pela estrada que se erguia solitária até onde Aldebarã cintilava entre as árvores; na direção da mesma cidade antiga que jamais vira, mas com a qual sempre sonhara.

Era o dia do Yuletide, que os homens chamam de Natal, embora no fundo saibam que é mais antigo do que Belém e a Babilônia, mais velho que Mênfis e a humanidade. Era o Yuletide, e eu

1 *"Os demônios fazem com que coisas que não existem apareçam aos homens como se existissem." (N.T.)*

tinha chegado enfim à antiga cidade litorânea onde minha gente sempre morara e celebrara o festival durante os velhos tempos em que o festival era proibido; onde eles mandaram os filhos o celebrarem uma vez a cada século, para que a memória dos segredos primordiais não fosse esquecida. Minha gente era antiga, e já era antiga quando essa região foi ocupada trezentos anos antes. E eram gente estranha, porque haviam chegado ali como um povo moreno e furtivo, vindos dos orquidários opiáceos do sul, e falavam outra língua antes de aprenderem a dos pescadores de olhos azuis. E agora haviam se dispersado e compartilhavam apenas os ritos de mistérios que nenhum ser vivo era capaz de entender. Eu era o único que voltara naquela noite à velha cidade pesqueira, como rezava a lenda, pois apenas os pobres e os solitários se lembram.

Então, além do cume da colina, vi Kingsport, estendida e congelada ao crepúsculo; a nevada Kingsport com seus cata-ventos e torres, cumeeiras e chaminés, ancoradouros e pequenas pontes, salgueiros e cemitérios; intermináveis labirintos de ruas íngremes, estreitas e tortas, e um pico central vertiginoso coroado pela igreja que o tempo não ousou tocar; incessantes dédalos de casas coloniais empilhadas e espalhadas em todos os ângulos e níveis como blocos desordenados de criança; a antiguidade pairando em asas cinzentas sobre torreões embranquecidos pelo inverno e telhados de mansardas; vitrais arqueados e minúsculas janelas cintilando no crepúsculo frio para se juntar a Órion e às arcaicas estrelas. E contra os ancoradouros apodrecidos o mar batia, o mar secreto, imemorial, de onde as pessoas tinham vindo nos tempos antigos.

Ao lado da estrada, no cume, erguia-se um píncaro ainda mais alto, desolado e esbatido pelo vento, e eu vi que era um cemitério, onde lápides negras se destacavam macabramente através da neve como as unhas deterioradas de um cadáver gigantesco. A estrada sem pegadas era muito isolada, e algumas vezes pensei ouvir rangidos horríveis de uma forca distante ao vento. Haviam enforcado quatro parentes meus por bruxaria em 1692, mas eu não sabia exatamente onde.

Quando a estrada começava a descer serpenteando o morro em direção ao mar, tentei escutar os sons alegres de uma vila ao anoitecer, mas não ouvi som algum. Então pensei na estação e imaginei que aquela velha gente puritana podia bem ter costumes natalinos desconhecidos para mim, repletos de orações silenciosas junto à lareira. De modo que depois disso não procurei escutar sinais de alegria ou encontrar passantes, mas segui em frente e passei pelas casas iluminadas dos sitiantes e pelas fachadas sombrias de pedra onde as placas de velhas lojas e tavernas de marinheiros rangiam à brisa salgada, e as grotescas aldravas das portas de pilares reluziam pelas alamedas desertas e sem pavimento, à luz de janelinhas cortinadas.

Eu tinha visto mapas da cidade e sabia onde encontrar a casa da minha gente. Disseram-me que eu deveria ser reconhecido e bem recebido, pois as lendas da vila viviam muito tempo, então atravessei às pressas a rua Back até Circle Court e cruzei pela neve fresca a única rua calçada da cidade, até o final da travessa Green, atrás do mercado. Os velhos mapas ainda valiam, e não tive problemas, embora em Arkham tivessem mentido ao dizer que os bondes levavam até lá, uma vez que não vi nenhum cabo elétrico suspenso por ali. A neve devia ter escondido os trilhos. Fiquei contente por ter preferido ir andando, pois a vila nevada me parecera muito bonita do alto da colina; e agora eu estava ansioso para bater na porta da minha família, a sétima casa à esquerda na travessa Green, com um antigo telhado pontiagudo e um segundo andar ressaltado da fachada, construída antes de 1650.

Havia luzes acesas dentro da casa quando cheguei, e vi pelos vidros em forma de diamante das janelas que ainda era muito semelhante a seu projeto original. O andar de cima avançava sobre a estreita alameda tomada pela relva e quase encostava no andar ressaltado da casa vizinha, de modo que era quase como se eu estivesse em um túnel, com uma escada baixa de pedra inteiramente desimpedida de neve. Não havia calçada, mas muitas casas tinham portas altas e dois lances de escadas com corrimãos de ferro. Era um cenário peculiar, e, como eu era um forasteiro na Nova Inglaterra, jamais soubera sua aparência. Embora aquilo me agradasse, eu teria preferido se houvesse pegadas na neve e pessoas nas ruas, e se algumas janelas abrissem suas cortinas.

Quando bati a arcaica aldrava de ferro, eu estava com certo medo. Uma espécie de pavor se acumulara em mim, talvez pela estranheza da minha linhagem, a desolação da noite e o bizarro silêncio daquela velha cidade de curiosos costumes. E, quando minha batida foi atendida, fiquei com muito medo, porque não ouvi nenhum passo antes de abrirem a porta com um rangido. Mas meu medo não durou muito, pois o velho de camisola e chinelo que me recebeu tinha um semblante sereno que me aliviou; e, embora ele indicasse com sinais que era mudo, escreveu com o estilete *boas-vindas* em letra elaborada e antiga na placa de cera que levava consigo.

Ele me conduziu até um cômodo baixo, à luz de velas, com imensas vigas aparentes e mobília escura, pesada e esparsa, do século XVII. O passado ali estava vivo, pois não faltava um elemento sequer. Havia uma lareira cavernosa e uma roca, onde uma velha encurvada de vestido solto e touca estava sentada de costas para mim, fiando em silêncio apesar da estação festiva. Parecia haver ali uma umidade indefinida e opressiva, e me espantei com o fato de o fogo não estar aceso.

O banco-baú de espaldar alto ficava virado para as janelas cortinadas à esquerda e parecia estar ocupado, embora eu não tivesse certeza. Não gostei muito do que vi e voltei a sentir o mesmo medo. Esse medo foi ficando mais forte diante do que pouco antes me deixara aliviado, pois, justamente quanto mais eu olhava para o semblante sereno do velho, mais aquela mesma serenidade me aterrorizava. Os olhos não se mexiam, e a pele parecia de cera. Enfim tive certeza de que não se tratava de um rosto, mas de uma máscara diabolicamente benfeita. Mas as mãos flácidas, curiosamente enluvadas, escreveram com floreios na cera e me disseram que eu devia esperar um pouco antes de ser levado ao festival.

Apontando para uma cadeira, uma mesa e uma pilha de livros, o velho então saiu do cômodo; e, quando me sentei para ler, vi que os livros eram antigos e estavam mofados, e que entre eles havia o delirante *Maravilhas da ciência*, do velho Morryster,[2] o terrível *Saducismus Triumphatus*, de Joseph Glanvill, publicado em 1681, a chocante *Daemonolatreia*, de Remigius, impressa em 1595 em Lyon, e o pior de todos, o indizível *Necronomicon*, do árabe louco Abdul Alhazred, na proibida tradução latina de Olaus Wormius – um livro que eu nunca tinha visto, mas sobre o qual ouvira coisas monstruosas serem sussurradas.

Ninguém falou comigo, contudo eu podia ouvir os rangidos das placas ao vento lá fora e o chiado da roca enquanto a velha entoucada continuava a fiar em silêncio. Achei o cômodo, os livros e as pessoas muito mórbidas e inquietantes, mas, como uma velha tradição de meus ancestrais me convocara ao estranho festejo, concluí que devia esperar ainda mais bizarrices pela frente. Então tentei ler e logo me vi tremulamente absorto por algo que encontrei no maldito *Necronomicon*: uma ideia e uma lenda hediondas demais para qualquer sanidade ou consciência. Mas não gostei quando imaginei ter ouvido uma janela que dava para o banco-baú sendo fechada, como se tivesse sido aberta furtivamente. Pareceu-me ocorrer logo em seguida a um chiado que não era da roca de fiar da velha. Não devia ser grande coisa, contudo,

2 Obra fictícia inventada por Ambrose Bierce em seu conto "O homem e a serpente", de 1890. (N.T.)

pois a velha estava fiando com mais afinco e o velho relógio estivera dando suas badaladas. Depois disso passou minha sensação de que havia alguém no banco-baú, e eu estava lendo atenta e estremecidamente quando o velho voltou, calçando botas e vestindo um antigo traje largo, e sentou-se naquele mesmo banco, de modo que eu não podia vê-lo. Foi sem dúvida uma espera tensa, e o livro blasfemo em minhas mãos duplicava esse nervosismo. Porém, quando o relógio bateu onze horas, o velho se levantou, arrastou-se até um gaveteiro maciço e entalhado a um canto, e tirou dois mantos com capuz; um dos quais ele mesmo vestiu, e com o outro cobriu a velha, que interrompeu seu monótono trabalho. Então ambos foram em direção à porta externa, a mulher se arrastando lentamente, e o velho, depois de pegar o livro que eu estivera lendo, conduzindo-me e cobrindo com o capuz seu semblante imóvel ou sua máscara.

Adentramos a noite sem lua pela rede tortuosa de ruelas daquela cidade incrivelmente antiga. Saímos enquanto as luzes das janelas cortinadas desapareciam uma a uma, e as estrelas do Cão Maior espiavam a fileira de figuras encapuzadas que surgiam em silêncio de cada porta e formavam monstruosas procissões por todas as ruas, passando pelas placas rangentes e pelas torres antediluvianas, pelos telhados de colmos compactos e janelas de vidros em forma de diamante; lotando alamedas íngremes onde casas decrépitas se projetavam e desmoronavam juntas, percorrendo pátios e cemitérios abertos, onde o balanço das lanternas formavam feéricas constelações embriagadas.

Em meio às fileiras apressadas, segui meus guias sem voz, empurrado por cotovelos que pareciam desnaturadamente moles e pressionado por peitos e barrigas que pareciam anormalmente fofos, mas sem nunca ver um rosto ou ouvir uma palavra sequer. Sempre subindo, as sinistras colunas deslizaram para o alto, e vi que todos os peregrinos convergiam na direção de um foco de vielas absurdas no cume de um morro alto no centro da cidade, onde se empoleirava uma grande igreja branca. Eu a tinha visto do alto da estrada, quando contemplei Kingsport no final da tarde, e havia estremecido ao notar que Aldebarã parecia se equilibrar por um momento na torre fantasmagórica da igreja.

Havia um espaço aberto em volta da igreja; em parte um cemitério com postes espectrais e em parte uma praça semipavimentada, varrida da neve pelo vento e cercada de casas morbidamente arcaicas com telhados pontiagudos e torreões salientes. Fogos-fátuos dançavam sobre as tumbas, revelando visões horrendas, embora estranhamente não lançassem nenhuma sombra. Depois do cemitério, onde não havia casas, pude ver do alto do morro o cintilar das estrelas no porto, ainda que a cidade estivesse invisível no escuro. Só de quando em quando uma lanterna balançava horrivelmente através das vielas serpenteantes ao se juntar à procissão, que agora se arrastava emudecida para dentro da igreja. Esperei até que a multidão desembocasse pela porta negra e até que os últimos retardatários entrassem. O velho estava me puxando pela manga, mas eu estava decidido a entrar por último. Então enfim entrei, o sinistro sujeito e a velha fiandeira foram na minha frente. Ao cruzar o umbral daquele templo lotado de escuridão nunca vista, virei-me para olhar o mundo lá fora, pois a fosforescência do cemitério lançava um clarão doentio sobre o adro pavimentado no alto do morro. E então senti um calafrio. Pois, embora o vento não tivesse deixado muita neve se depositar, ainda havia alguns trechos nevados no caminho perto da porta, e nesse olhar de relance para trás pareceu aos meus olhos perturbados que não havia nenhuma pegada ali, nem mesmo as minhas.

A igreja continuou na penumbra mesmo com todas as lanternas que entraram, pois a maior parte da procissão já havia desaparecido. Atravessaram o corredor entre os púlpitos brancos e altos e o alçapão das abóbadas, escancarado odiosamente diante do púlpito, e agora estavam ali espremidos em silêncio.

Desci, entorpecido, os degraus gastos e penetrei na cripta fria, abafada e sufocante. A retaguarda da sinuosa fila de peregrinos noturnos parecia horrível e, quando os vi cambalear para dentro de uma tumba antiquíssima, eles me pareceram ainda mais horríveis. Então reparei que o piso da tumba tinha uma abertura pela qual a fila ia avançando, e no momento seguinte estávamos todos descendo uma impressionante escada de pedra bruta esculpida; uma escada estreita e espiralada, úmida e de odor peculiar, que serpenteava infinitamente nas entranhas do morro, passando por paredes monótonas de blocos de pedra gotejantes e argamassa esboroada. Foi uma descida silenciosa, chocante, e observei após pavoroso intervalo que as paredes e degraus iam mudando de aspecto, como se fossem cinzelados na rocha sólida. O que mais me perturbava eram aqueles milhares de passos que não produziam som nem faziam eco. Depois de eras de descida, vi algumas passagens ou corredores laterais que começavam em recessos insuspeitados nas trevas até aquele túnel de mistérios noturnos. Logo esses corredores ficaram excessivamente numerosos, como catacumbas profanas com ameaças inomináveis, e seu odor pungente de decrepitude foi se tornando quase insuportável. Vi que devíamos ter passado através da montanha e por baixo da terra da própria Kingsport, e estremeci ao pensar que uma cidade pudesse ser tão antiga e tão infestada de mal subterrâneo.

Então vi a lúgubre cintilação de uma luz fraca e ouvi o bater insidioso de ondas sombrias. Outra vez estremeci, pois não gostava nada das coisas que a noite havia trazido, e desejei amargamente que nenhum ancestral tivesse me convocado para aquele rito primal. Conforme os degraus e a passagem foram ficando mais largos, ouvi outro som, a aguda e estridente zombaria de uma flauta hesitante; e subitamente se estendeu diante de mim a visão ilimitada de um mundo interno – um vasto litoral fúngico iluminado por uma coluna de labaredas de um verde doentio e banhado por um rio oleoso que fluía de abismos apavorantes e insuspeitados para se reunir aos golfos negros do oceano imemorial.

Quase desmaiando e sem fôlego, olhei para aquele Érebo profano de titânicos cogumelos, fogo pestilento e água viscosa, e vi a procissão encapuzada formar um semicírculo em torno do pilar flamejante. Era o rito do Yule, mais velho que o homem e fadado a sobreviver a ele; rito primal do solstício e da promessa da primavera depois das neves; rito do fogo e do verdor perene, da luz e da música. E na gruta estígia vi cumprirem o rito, adorarem o pilar de labaredas doentias e jogarem na água punhados arrancados da viscosa vegetação que reluzia esverdeada naquele clarão clorótico. Vi tudo isso e vi algo agachado, amorfo, a distância da luz, soprando ruidosamente uma flauta; e, enquanto a criatura soprava, pensei ouvir um perigoso bater de asas abafado na treva fétida onde eu não conseguia mais enxergar. No entanto, o que mais me apavorou foi a coluna flamejante, brotando vulcanicamente de profundezas inconcebíveis, sem lançar sombras, como labaredas sadias lançariam, e revestindo a rocha nitrosa logo acima com um repulsivo azinhavre venenoso. Pois em toda aquela efervescente combustão não havia nenhum calor, mas apenas o suor frio da morte e da corrupção.

O homem que me trouxera até ali agora se espremia até certo ponto logo ao lado da hedionda labareda e fazia rígidos movimentos cerimoniais para o semicírculo à sua frente. Em determinados momentos do ritual, eles faziam reverências rastejantes, especialmente quando ele ergueu o repugnante *Necronomicon*, que levara consigo; e eu tomei parte daquelas reverências, pois havia sido convocado para esse festival pelos escritos de meus antepassados. Então o velho fez um sinal para o flautista no escuro, que alterou o zumbido fraco para outro mais forte em outro tom, precipitando assim um horror impensável e inesperado. Diante desse horror afundei quase até tocar a terra liquenizada, transpassado por um pavor não deste ou de outro mundo, mas simplesmente dos espaços insanos entre as estrelas.

Do fundo de uma treva inimaginável, além do clarão gangrenoso daquela chama fria, do fundo de léguas tartáricas através das quais aquele rio oleoso fluía de forma inexplicável, sem som, insuspeitado, ali esvoaçava ritmicamente uma horda de híbridas criaturas aladas, domesticadas, treinadas, que nenhum olho são jamais conseguiria abarcar, que nenhum cérebro sadio jamais conseguiria registrar. Não eram bem corvos, nem toupeiras, nem abutres, nem formigas, nem morcegos vampiros, tampouco seres humanos degenerados; mas algo que eu não posso e não devo recordar. Eles se deslocavam lentamente, em parte batendo os pés membranosos, em parte batendo as asas membranosas, e, quando chegaram perto da fila de celebrantes, os encapuzados os seguraram, montaram neles e cavalgaram um atrás do outro ao longo dos domínios daquele rio sem luz, adentrando poços e galerias de pânico, onde fontes de veneno alimentavam pavorosas e inalcançáveis cataratas.

A velha da roca tinha ido embora com a fila, e o velho ficara só porque me recusei a obedecer quando ele fez sinal para eu montar um animal e ir com os outros. Vi, tentando me equilibrar, que o flautista amorfo tinha sumido, mas que dois animais esperavam pacientemente. Como relutei, o velho sacou o estilete e a placa de cera, e escreveu que ele era o verdadeiro representante dos meus antepassados que haviam fundado o culto do Yule naquele lugar antigo, que havia sido decretado que eu deveria retornar para lá e que os mistérios mais secretos ainda seriam encenados. Escreveu isso com uma caligrafia muito antiga e, quando mesmo assim hesitei, ele sacou da túnica larga um anel com um sinete e um relógio, ambos com o brasão da minha família, para provar que era quem dizia ser. Mas isso foi uma prova hedionda, pois eu sabia por velhos documentos que aquele relógio havia sido enterrado com meu pentavô em 1698.

Então o velho tirou o capuz e apontou para os traços de família em seu rosto, mas eu apenas estremeci, pois tinha certeza de que aquele rosto era apenas uma diabólica máscara de cera. Os animais alados agora se coçavam irrequietos nos líquenes, e vi que o velho estava igualmente incomodado. Quando uma das criaturas começou a se mexer e se afastar, ele logo se virou para detê-la; o movimento súbito deslocou a máscara do que devia ser sua cabeça. E nisso, como aquela posição infernal me impedia o acesso à escada de pedra por onde havíamos descido, atirei-me no oleoso rio subterrâneo, que borbulhava algures em direção às cavernas do mar, e chafurdei naquele sumo putrefato dos horrores internos da terra antes que a loucura dos meus gritos atraísse sobre mim as legiões de cadáveres que aqueles golfos pestilentos podiam conter.

No hospital, disseram que fui encontrado quase congelado no porto de Kingsport ao amanhecer, agarrado a um mastro que o acaso enviara para me salvar. Disseram que peguei a bifurcação errada da estrada no morro ontem à noite e caí do penhasco em Orange Point, o que deduziram pelas pegadas encontradas na neve. Não havia nada que eu pudesse dizer, porque estava tudo diferente. Estava tudo diferente, a janela larga mostrava um mar de telhados onde apenas um em cada cinco era antigo, e havia o som de bondes e motores nas ruas lá embaixo. Insistiram que ali era Kingsport, e não pude negar. Quando comecei a delirar ao saber que o hospital ficava perto do velho cemitério da igreja em Central Hill, enviaram-me ao St. Mary's Hospital, em Arkham, onde eu poderia receber melhores cuidados. Gostei de lá, pois os médicos tinham a mente aberta e até me ajudaram com sua influência a obter o exemplar do censurável *Necronomicon* de Alhazred cuidadosamente guardado pela biblioteca da Universidade Miskatonic. Disseram alguma coisa sobre "psicose" e acharam melhor que eu tirasse logo qualquer obsessão perturbadora da cabeça.

De modo que li outra vez o hediondo capítulo e estremeci duplamente, porque não era de fato algo novo para mim. Eu já tinha visto aquilo antes, seja o que for que as pegadas indiquem; e o lugar onde eu tinha visto aquilo era melhor que continuasse esquecido. Não havia ninguém – em minhas horas de vigília – capaz de me lembrar daquele lugar, mas meus sonhos são cheios de terror devido a frases que não ouso citar. Arrisco-me a citar apenas um parágrafo, traduzido da melhor forma que pude do estrambótico latim medieval. O árabe louco escreveu:

> *As cavernas mais ínferas não se prestam à sondagem de olhos que veem, pois suas maravilhas são estranhas e terríficas. Maldito terreno onde os mortos pensamentos vivem de novo e estranhamente encarnados, e maldita a mente que nenhuma cabeça contém. Sábias palavras de Ibn Schacabao, feliz é a tumba onde bruxo nenhum se deitou, e feliz a cidade à noite cujos bruxos viraram cinza. Pois antigos rumores dizem que a alma que o diabo comprou não parte do barro carnal, mas engorda e orienta* o próprio verme que a corrói; *até que da corrupção brota a vida horrenda, e os cegos necrófagos da terra constroem ilusões para afligi-la e incham monstruosamente para empesteá-la. Grandes buracos são cavados secretamente onde os poros da terra deveriam bastar, e criaturas que deveriam rastejar aprenderam a caminhar.*

O CHAMADO DE CTHULHU

(Encontrado entre os papéis do falecido Francis Wayland Thurston, de Boston)

"De tais grandes potências ou seres pode haver sobrevivências plausíveis... sobrevivências de um período imensamente remoto em que... a consciência era talvez manifestada em conteúdos e formas que há muito tempo desapareceram diante das marés do progresso da humanidade... formas das quais apenas a poesia e a lenda captaram uma memória fugaz e chamaram de deuses, monstros, seres míticos de todos os tipos..."

– ALGERNON BLACKWOOD

I

O horror de barro

A coisa mais gratificante do mundo, creio, é a incapacidade da mente humana de correlacionar todos os seus conteúdos. Vivemos em uma plácida ilha de ignorância em meio aos mares negros do infinito e não fomos feitos para viajar muito longe. As ciências, cada uma se empenhando em sua própria direção, até hoje têm nos prejudicado pouco; mas algum dia o quebra-cabeça de conhecimentos dissociados ficará completo e revelará terríveis visões da realidade e, diante da nossa pavorosa posição nela contidos, haveremos de enlouquecer com a revelação ou fugir da luz mortal em direção à paz e à segurança de uma nova idade das trevas.

Teosofistas intuíram sobre a grandiosidade reverente do ciclo cósmico dentro do qual nosso mundo e a raça humana são incidentes passageiros. Eles sugeriram estranhas sobrevivências em termos que congelariam o sangue se não fossem mascarados de sereno otimismo. Mas não foi graças a eles que me veio o único vislumbre de eras proibidas que me dá calafrio de pensar e me enlouquece quando sonho com isso. Esse vislumbre, como todo vislumbre de uma verdade pavorosa, surgiu da aproximação casual de coisas separadas – no caso, um velho jornal e anotações de um falecido professor. Espero que nunca mais ninguém consiga juntar essas peças; certamente, enquanto eu viver, jamais fornecerei conscientemente um elo sequer dessa hedionda corrente. Creio que o professor também pretendia manter silêncio sobre a parte que conhecia e que teria destruído suas notas não houvesse sido surpreendido por uma morte súbita.

Meu conhecimento sobre o assunto começou no inverno de 1926-27 com a morte de meu tio-avô, George Gammell Angell, professor emérito de línguas semíticas na Universidade Brown, em Providence, Rhode Island. O professor Angell era mundialmente conhecido como autoridade em inscrições antigas e era sempre procurado pelos diretores de importantes museus, de modo que seu falecimento aos 92 anos ainda é lembrado por muitos. Na cidade, o interesse foi ainda mais intenso devido à obscuridade da causa da morte. O professor caiu desacordado quando voltava de Newport de navio; de repente, segundo as testemunhas, depois de ser empurrado por um negro, aparentemente marinheiro, que tinha saído de um pátio escuro no morro íngreme, onde havia um atalho da praia até a casa do falecido na rua Williams. Os médicos não conseguiram encontrar nenhuma doença visível, mas concluíram após perplexo debate que uma obscura lesão cardíaca, induzida pela subida íngreme do morro por alguém tão idoso, havia sido responsável por seu fim. Na época, não vi motivo para discordar do atestado, porém mais tarde comecei a duvidar – e mais do que duvidar.

Como herdeiro e executor do testamento do meu tio-avô, pois ele morreu viúvo e sem filhos, era esperado que eu examinasse seus papéis com certa minúcia; e com esse propósito transferi todos os seus arquivos e caixas para minha residência em Boston. Boa parte do material que organizei será mais tarde publicada pela Sociedade Americana de Arqueologia, mas havia uma caixa que julguei extremamente intrigante e que senti muita aversão de exibir a outros olhos. Ela havia sido trancada, e não encontrei a chave até que me ocorreu experimentar o anel que o professor levava sempre no bolso. Então de fato consegui abri-la, porém fazê-lo aparentemente só serviu para me confrontar com uma barreira ainda maior e mais protegida. Pois o que poderia significar o bizarro baixo-relevo de barro e os desconexos rabiscos, elucubrações e entalhes que encontrei? Será que meu tio, nos últimos anos, tinha se tornado crédulo das imposturas mais superficiais? Decidi pesquisar sobre o excêntrico escultor responsável por aquele aparente distúrbio na paz de espírito de um velho.

O baixo-relevo era um retângulo irregular de menos de três centímetros de espessura e cerca de treze por quinze centímetros de área; obviamente de origem moderna. Os desenhos, contudo, estavam longe de ser modernos em atmosfera e sugestão, pois, embora os caprichos do cubismo e do futurismo sejam muitos e delirantes, nem sempre reproduzem a regularidade críptica que espreita na escrita pré-histórica. E a impressão geral daqueles desenhos certamente era de se tratar de uma escrita, embora minha memória, apesar de grande familiaridade com os papéis e as coleções do meu tio, não conseguisse de maneira nenhuma identificar aquela espécie em particular ou sequer intuir suas remotas genealogias.

Acima dos aparentes hieróglifos havia uma figura de evidente intenção pictórica, ainda que sua execução impressionista impedisse uma ideia muito clara de sua natureza. Parecia se tratar de uma espécie de monstro, ou símbolo representando um monstro, de tal forma que apenas uma imaginação doentia seria capaz de conceber. Se eu disser que minha imaginação, algo extravagante, produziu simultaneamente imagens de polvo, dragão e caricatura humana, não estarei sendo infiel ao espírito da coisa. Uma cabeça mole, com tentáculos, encimava um corpo grotesco e escamoso com asas rudimentares; mas era o *contorno geral* do conjunto que tornava a criatura mais chocante e assustadora. Por trás da figura, havia a vaga sugestão de um fundo arquitetônico ciclópico.

Os escritos que acompanhavam essa bizarrice, fora uma pilha de recortes da imprensa, eram na caligrafia mais recente do professor Angell; e não tinham nenhuma pretensão a qualquer estilo literário. O que parecia ser o principal documento estava intitulado "CULTO A CTHULHU" em caracteres cuidadosamente impressos para evitar a leitura errônea de uma palavra tão inaudita. O manuscrito era dividido em duas seções, a primeira das quais intitulada "1925 – Sonho e trabalho onírico de H.A. Wilcox, r. Thomas, 7, Providence, R.I.", e a segunda, "Narrativa do inspetor John R. Legrasse, r. Bienville, 121, Nova Orleans, LA., em 1908 A.A.S. Mtg. – Notas sobre o mesmo assunto & Relato do Prof. Webb". Os outros papéis do manuscrito eram todos anotações breves, algumas delas relatos de sonhos estranhos de diversas pessoas, algumas citações de livros e publicações teosóficas (especialmente do livro *Atlântida e a Lemúria perdida*, de W. Scott-Elliot), e o restante comentários sobre sociedades secretas e cultos que existem há muito tempo, com referências a passagens desses livros de mitologia e antropologia que lhes servem de fontes, como *Ramo dourado*, de Frazere, e *Culto das bruxas na Europa Oriental*, da srta. Murray. Os recortes em sua maioria aludiam a bizarras doenças mentais e surtos de loucura coletiva ou mania na primavera de 1925.

A primeira metade do manuscrito principal contava uma história muito peculiar. Aparentemente, no dia 1º de março de 1925, um rapaz magro, moreno, de aspecto neurótico e agitado, veio visitar o professor Angell trazendo o curioso baixo-relevo de barro, que na ocasião estava úmido e fresco. O cartão da visita trazia o nome de Henry Anthony Wilcox, e meu tio reconheceu se tratar do filho mais novo de uma excelente família, da qual já ouvira falar, que ultimamente vinha estudando escultura na Faculdade de Design de Rhode Island e morava sozinho no edifício Fleur-de-Lys, próximo à instituição. Wilcox era um jovem precoce de reconhecida genialidade, mas muito excêntrico, e desde a infância chamava muita atenção pelas estranhas histórias e sonhos bizarros que costumava contar. Ele mesmo se dizia "psiquicamente hipersensível", porém o povo pacato da antiga cidade comercial considerava-o apenas "esquisito". Jamais se misturando com seus semelhantes, ele foi aos poucos perdendo visibilidade social e agora só era conhecido por um pequeno grupo de estetas de outras cidades. Até mesmo o Clube das Artes de Providence, cioso de seu conservadorismo, considerou-o um caso perdido.

Na ocasião da visita, dizia o manuscrito do professor, o escultor requisitou abruptamente o conhecimento arqueológico de seu anfitrião para identificar os hieróglifos do baixo-relevo. Ele falava de um modo sonhador e afetado, que sugeria isolamento e empatia forçada; e meu tio demonstrou certa rispidez na réplica, pois o frescor evidente da placa implicava não se tratar de um artefato arqueológico. A tréplica do jovem Wilcox, que impressionou meu tio a ponto de recordá-la e registrá-la palavra por palavra, foi uma efusão fantasticamente poética que devia ter sido o padrão de toda a conversa, e que a partir de então passei a considerar altamente característica dele. Ele disse: "É nova, de fato, pois a fiz ontem à noite em um sonho com cidades estranhas, e os sonhos são mais antigos que a mórbida Tiro, que a contemplativa Esfinge ou que a ajardinada Babilônia."

Foi então que ele começou a história delirante que de repente agiu sobre a memória adormecida e conquistou o interesse fervoroso do meu tio. Ocorrera um breve terremoto na noite anterior, o mais relevante sentido na Nova Inglaterra em alguns anos; e a imaginação de Wilcox havia sido agudamente afetada. Ao dormir, ele tivera um sonho sem precedentes com grandes cidades ciclópicas de quarteirões titânicos e monólitos suspensos no céu, gotejantes de uma gosma verde e sinistra, com horror latente. Havia hieróglifos espalhados pelos muros e pilares, e de algum ponto indefinido lá embaixo vinha uma voz que não era uma voz; uma sensação caótica que só a imaginação poderia transmutar em som, mas que ele tentou traduzir por uma confusão quase impronunciável de letras, *"Cthulhu fhtagn"*.

Essa bagunça verbal foi a chave para a lembrança que excitou e perturbou o professor Angell. Ele questionou o escultor com minúcia científica e examinou com intensidade quase frenética o baixo-relevo em que o jovem se viu trabalhando, com frio, apenas de pijama, quando a vigília se impôs espantosamente sobre ele. Meu tio atribuiu à idade avançada, Wilcox diria mais tarde, sua lentidão em reconhecer tanto os hieróglifos quanto a figura desenhada. Muitas perguntas pareceram altamente desconexas ao visitante, sobretudo aquelas que tentavam associar a figura a cultos ou sociedades estranhas; e Wilcox não conseguiu entender as repetidas promessas de sigilo que lhe foram oferecidas em troca de uma confissão de que era membro de algum grupo religioso difundido ou pagão. Quando o professor Angell ficou convencido de que o escultor efetivamente ignorava qualquer culto ou sistema de conhecimento críptico, ele insistiu com o visitante que lhe relatasse seus sonhos futuros. Esse procedimento rendeu frutos regulares, pois, após a primeira visita, o manuscrito registra encontros diários com o rapaz, durante os quais ele relatava impressionantes fragmentos de imaginações noturnas, cujo lastro eram sempre visões ciclópicas terríveis de rochas escuras e gotejantes, com uma voz ou inteligência subterrânea berrando monotonamente enigmáticos contrassensos intraduzíveis, exceto como absurdos. Os dois sons repetidos com maior frequência são aqueles traduzidos pelas letras *"Cthulhu"* e *"R'lyeh"*.

No dia 23 de março, o manuscrito continuava, Wilcox deixou de aparecer, e perguntas em seu endereço revelaram que ele sofrera uma espécie obscura de febre e havia sido levado para a casa da família na rua Waterman. Ele havia berrado no meio da noite, acordando diversos outros artistas do prédio, e manifestado desde então apenas alternâncias entre inconsciência e delírio. Meu tio telefonou imediatamente à família do rapaz, e dali em diante passou a observar o caso com muita atenção, visitando amiúde o consultório na rua Thayer do dr. Tobey, que ele sabia estar encarregado do paciente. A mente febril do moço, ao que parecia, ocupava-se de coisas estranhas, e o médico estremecia de quando em quando ao falar delas. Incluíam não apenas uma repetição do que ele já havia sonhado antes, mas abordavam desvairadamente alguma criatura gigantesca, de "quilômetros de altura", que caminhava ou se deslocava lentamente. Ele não descreveu esse ser por completo, mas eventualmente as palavras frenéticas, tal como as repetiu o dr. Tobey, convenceram o professor de que devia se tratar de algo idêntico à monstruosidade sem nome que o artista tentara representar em sua escultura onírica. As referências a esse objeto, acrescentou o doutor, eram sem exceção um prelúdio de mergulhos na letargia por parte do doente. A temperatura dele, curiosamente, não chegava muito acima do normal, mas sua condição geral sugeria se tratar de uma verdadeira febre, e não de uma perturbação mental.

No dia 2 de abril, por volta das três horas da tarde, todos os sintomas da doença de Wilcox subitamente passaram. Ele endireitou-se na cama, perplexo ao se ver em casa e ignorando por completo o que havia acontecido em sonhos ou na realidade desde a noite de 22 de março. Recebendo alta do médico, voltou a seu apartamento depois de três dias, mas para o professor Angell não teve mais serventia alguma. Todos os resquícios daqueles sonhos estranhos desapareceram com sua recuperação, e meu tio não registrou mais nenhum de seus pensamentos noturnos depois de uma semana de inúteis e irrelevantes relatos de visões inteiramente corriqueiras.

Aqui se encerrava a primeira parte do manuscrito, mas as referências a algumas das anotações esparsas me deram muito material sobre o qual pensar – tanto, na verdade, que só o entranhado ceticismo que então fazia parte da minha filosofia pode explicar minha contínua desconfiança do artista. As anotações em questão eram descritivas dos sonhos de várias pessoas, cobrindo o mesmo período em que o jovem Wilcox tivera suas estranhas visitações. Meu tio, ao que parecia, logo instituiu um conjunto de investigações prodigiosamente abrangente, entre quase todos os amigos que podia questionar sem impertinência, pedindo relatos noturnos de sonhos e as datas de quaisquer visões notáveis que tivessem ao longo do passado recente. A receptividade a tais pedidos parece ter sido variada, mas, ao menos, ele deve ter recebido mais respostas do que qualquer homem comum teria conseguido levantar sem um secretário. Os originais dessa correspondência não foram conservados, contudo as anotações dele formariam uma compilação ampla e de fato significativa. As pessoas medianas na sociedade e nos negócios – o tradicional "sal da terra" da

Nova Inglaterra – forneceram um resultado quase inteiramente negativo, apesar de casos isolados de impressões noturnas inquietantes mas amorfas terem aparecido aqui e ali, sempre entre 23 de março e 2 de abril – período do delírio do jovem Wilcox. Homens de ciência foram apenas um pouco mais afetados, apesar de quatro casos de descrições vagas terem sugerido vislumbres fugazes de estranhas paisagens, e em um caso ter sido mencionado um pavor de algo anormal.

Foi dos artistas e poetas que as respostas pertinentes vieram, e sei que o pânico teria se instalado se eles tivessem conseguido comparar suas anotações. No caso, na ausência das cartas originais, cheguei a desconfiar que o pesquisador tivesse formulado perguntas tendenciosas ou editado a correspondência para corroborar o que ele potencialmente estava decidido a encontrar. É por isso que continuei com a impressão de que Wilcox, de alguma forma ciente dos dados antigos que meu tio possuía, teria ludibriado o veterano cientista. Essas respostas de estetas contavam uma história perturbadora. De 28 de fevereiro até 2 de abril, uma grande parte deles sonhara coisas muito bizarras, sendo a intensidade desses sonhos imensuravelmente mais forte durante o período do delírio do escultor. Mais de um quarto dos que relataram algum conteúdo narraram cenas e sons entreouvidos não muito diferentes dos que Wilcox havia descrito; e alguns sonhadores confessaram um medo agudo de uma criatura gigantesca e sem nome, visível perto do fim do sonho. Um desses casos, que a anotação descreve enfaticamente, era muito triste. O sujeito, um arquiteto muito famoso com tendências para a teosofia e o ocultismo, ficou furiosamente louco na data do surto do jovem Wilcox e faleceu meses depois, gritando sem cessar para que o salvassem de uma criatura fugida do inferno. Se meu tio tivesse se referido a esses casos por nome, em vez de apenas por números, eu teria tentado confirmar e investigar pessoalmente alguns deles, mas, na prática, só consegui localizar alguns poucos. Todos, contudo, confirmaram integralmente as anotações. Muitas vezes me indaguei se todos os participantes da pesquisa teriam ficado tão intrigados quanto aquela parcela com as perguntas do professor. É melhor que nenhuma explicação jamais chegue ao conhecimento deles.

Os recortes da imprensa, conforme mencionei, abordavam casos de pânico, mania e excentricidade durante o período em questão. O professor Angell deve ter contratado um serviço especializado, pois o número de notícias era tremendo e as fontes, espalhadas por todo o globo. Aqui um suicídio noturno em Londres, em que um sujeito solitário pulou por uma janela depois de um grito chocante. Ali uma carta delirante ao editor de um jornal na América do Sul, em que um fanático deduz um futuro terrível a partir de visões que ele teve. Um relato da Califórnia descreve uma colônia teosofista onde uma multidão vestia túnicas brancas à espera de uma "plenitude gloriosa" que nunca chega, enquanto matérias da Índia falavam discretamente de sérios distúrbios entre os nativos no final de março. Orgias de vodus se multiplicam no Haiti, e entrepostos africanos relatam rumores agourentos. Oficiais americanos nas Filipinas enfrentam problemas com tribos nessa mesma época, e policiais de Nova York são atacados por levantinos histéricos na virada de 22 para 23 de março. O oeste da Irlanda também, prenhe de rumores e lendas delirantes, e um pintor fantástico chamado Ardois-Bonnot expõe uma blasfema *Paisagem onírica* no salão da primavera em Paris em 1926. E são tão numerosos os distúrbios registrados em asilos de loucos que só um milagre pode ter impedido a comunidade médica de notar estranhos paralelismos e tirar conclusões perplexas. Era um conjunto bizarro de recortes, em geral; e hoje mal consigo conceber o insensível racionalismo com que os deixei de lado. Mas eu estava convencido de que o jovem Wilcox tivera conhecimento dos casos anteriores mencionados pelo professor.

II

A história do inspetor Legrasse

Os casos anteriores, que tornaram o sonho do escultor e o baixo-relevo tão significativos para meu tio, formavam o tema da segunda metade de seu longo manuscrito. Em determinada ocasião, aparentemente, o professor Angell teria visto a silhueta infernal da monstruosidade sem nome, ficado intrigado com os hieróglifos desconhecidos e ouvido as agourentas sílabas que só podem ser traduzidas por *"Cthulhu"*; e tudo isso revelou uma conexão tão perturbadora e horrível que não era de estranhar que ele tivesse assediado o jovem Wilcox com perguntas e pedidos de informação.

A primeira experiência ocorrera em 1908, dezessete anos antes, quando a Sociedade Americana de Arqueologia realizou seu encontro anual em St. Louis. O professor Angell, tal como era condizente com sua autoridade e suas realizações, desempenhara importante papel em todas as deliberações e foi um dos primeiros a serem abordados pelos diversos presentes, que aproveitaram o congresso para buscar respostas corretas e expor problemas para a solução de especialistas.

O principal desses interessados, e em pouco tempo o foco do interesse de todo o encontro, era um homem de meia-idade e aparência comum, que viera desde Nova Orleans em busca de informações específicas que não havia encontrado em nenhuma fonte local. Seu nome era John Raymond Legrasse, e ele era por profissão inspetor de polícia. Com ele, trazia o objeto de sua visita, uma grotesca, repulsiva e aparentemente muito antiga estatueta de pedra cuja origem ele não conseguia determinar. Não se deve imaginar que o inspetor Legrasse tivesse o menor interesse por arqueologia. Pelo contrário, seu desejo de esclarecimento havia sido despertado por considerações puramente profissionais. A estatueta, ídolo, fetiche ou o que quer que fosse havia sido capturada alguns meses antes nos pântanos das matas do sul de Nova Orleans durante uma batida em uma suposta cerimônia de vodu; e os ritos associados a ela eram tão singulares e hediondos que a polícia não pôde deixar de concluir que haviam se deparado com um culto obscuro inteiramente desconhecido para eles, e infinitamente mais diabólico até que o mais sombrio dos círculos de vodu africanos. Sobre sua origem, além das histórias erráticas e inacreditáveis extraídas dos membros capturados, absolutamente nada fora descoberto; daí o interesse da polícia por qualquer conhecimento de antiquário que pudesse ajudá-los a identificar o pavoroso símbolo e, através disso, rastrear sua origem.

O inspetor Legrasse mal estava preparado para a sensação que sua proposta causou. A primeira observação do objeto bastou para aqueles homens de ciência reunidos serem lançados em um estado de tensa excitação, e eles não perderam tempo em se amontoar ao redor dele para contemplar a minúscula figura, cuja estranheza e ar de antiguidade genuinamente abissal sugeriam com igual potência visões interditas e arcaicas. Nenhuma escola de escultura conhecida havia inspirado o terrível objeto, embora séculos e até milênios parecessem estar registrados em sua superfície fosca e esverdeada de pedra irreconhecível.

A figura, que enfim foi lentamente passada de mão em mão para exame atento e cuidadoso, tinha entre dezoito e vinte centímetros de altura, e era lavrada com maestria artística. Representava um monstro de aspecto vagamente antropoide, mas com uma cabeça semelhante à de um polvo, cuja face era uma massa de antenas, um corpo escamoso, que parecia de borracha, poderosas garras nas patas de trás e da frente, e asas compridas e estreitas nas costas. A criatura, que parecia instintivamente dotada de feroz e desnaturada malignidade, tinha uma corpulência algo inchada e ficava diabolicamente acocorada em um bloco retangular ou pedestal coberto de caracteres indecifráveis. As pontas das asas tocavam a borda posterior do bloco, o assento ocupava o centro, enquanto as garras compridas e recurvas das patas traseiras dobradas agarravam a borda da frente e se estendiam para baixo na direção da base do pedestal. A cabeça de cefalópode ficava inclinada para frente, de modo que a ponta das antenas faciais roçava o dorso das imensas patas dianteiras que agarravam os joelhos elevados da criatura agachada. O conjunto era de um realismo absurdo, como se estivesse vivo, e ainda mais sutilmente assustador por sua origem ser desconhecida. Sua antiguidade vasta, venerável e incalculável era indiscutível, embora não demonstrasse nenhum elo com nenhum outro tipo de arte dos primórdios conhecidos da civilização – ou, a bem dizer, de nenhuma outra época. Totalmente distinta e à parte, seu próprio material era um mistério, pois a pedra escorregadia, negro-esverdeada com pontos e estriações dourados ou iridescentes, não se parecia com nada familiar à geologia ou à mineralogia. Os caracteres gravados na base eram igualmente intrigantes; nenhum membro do congresso, apesar da representação de especialistas de metade do mundo nesse campo, tinha a mínima noção sequer de seu remoto parentesco linguístico. Eles, assim como o tema e o material, pertenciam a algo horrivelmente remoto e distante da humanidade tal como a conhecemos; algo assustadoramente sugestivo de ciclos antigos e profanos da vida, em que nosso mundo e nossas concepções não desempenham nenhum papel.

E, no entanto, conforme os especialistas balançavam as cabeças e um por um confessavam sua derrota diante do problema do inspetor, houve um único homem em toda a assembleia que desconfiou de um toque de bizarra familiaridade na forma e na escrita monstruosas, e então relatou com certa hesitação sobre a estranha curiosidade que ele conhecia. Essa pessoa era o falecido William Channing Webb, professor de antropologia da Universidade de Princeton e um explorador de reputação nada irrelevante. O professor Webb participara, 48 anos antes, de uma expedição pela Groenlândia e pela Islândia, em busca de inscrições rúnicas que ele jamais conseguira encontrar, e, quando estava no litoral escarpado da Groenlândia Ocidental, encontrou uma tribo singular ou um culto de esquimós degenerados, cuja religião, uma forma curiosa de adoração demoníaca, deixou-o apavorado por seu aspecto deliberadamente sanguinário e repulsivo. Era uma fé sobre a qual outros esquimós pouco sabiam, e que estremeciam só de mencioná-la, dizendo que aquele culto chegara até eles muitas eras antes, eras horrivelmente antigas, antes da criação do mundo. Além de ritos e sacrifícios humanos inomináveis, havia certos rituais hereditários estranhos, dedicados a um demônio supremo mais velho ou *tornasuk*; e disso o professor Webb obtivera cuidadosa cópia fonética tomada de um velho *angekok* ou bruxo-sacerdote, expressando os sons em alfabeto romano da melhor forma que conseguiu. Mas agora o mais significativo era o fetiche que esse culto louvava e em torno do qual eles dançavam quando a aurora surgia sobre as escarpas de gelo. Tratava-se, afirmou o professor, de um baixo-relevo de pedra bastante rústico, que consistia em uma hedionda figura e algumas escritas crípticas. E, segundo ele, havia certo paralelo, em todos os aspectos essenciais, com a estatueta bestial ali diante de todos.

Essa informação, recebida com suspense e espanto pelos especialistas reunidos, provou-se duplamente excitante para o inspetor Legrasse, e na mesma hora ele começou a fazer perguntas ao informante. Tendo anotado e copiado um ritual oral entre os idólatras do pântano que seus homens haviam capturado, ele insistiu com o professor que tentasse se lembrar das sílabas anotadas entre os esquimós diabolistas. Houve então uma exaustiva comparação de detalhes e um momento de silêncio realmente perplexo, quando ambos, detetive e cientista, concordaram que eram quase idênticas as frases daqueles dois rituais infernais, mundos de distância separados um do outro. O que, em substância, tanto os xamãs esquimós quanto os feiticeiros dos pântanos da Louisiana haviam entoado para seus ídolos aparentados era algo muito semelhante ao seguinte – sendo a divisão das palavras estimada, a partir das interrupções tradicionais da frase, conforme entoada em voz alta:

"Ph'nglui mglw'nafh Cthulhu R'lyeh wgah'nagl fhtagn."

Legrasse tinha uma vantagem sobre o professor Webb, pois diversos entre seus prisioneiros mestiços haviam lhe repetido o que velhos celebrantes lhes disseram ser o significado daquelas palavras. O texto, tal como era pronunciado, significava algo como:

"Em sua casa em R'lyeh, Cthulhu morto espera sonhando."

E então, em resposta a uma pergunta geral e urgente, o inspetor Legrasse relatou o mais completamente possível sua experiência com os idólatras do pântano, contando uma história à qual pude perceber que meu tio atribuiu profundo significado. Essa história recendia aos sonhos mais delirantes de um criador de mitos e teósofo, e revelava um espantoso grau de imaginação cósmica entre aqueles excluídos e párias, que jamais se esperaria que eles possuíssem.

No dia 1º de novembro de 1907, chegara à polícia de Nova Orleans um pedido frenético de que enviassem alguém para a região do pântano e da lagoa do sul. Os moradores dali, basicamente primitivos mas pacíficos descendentes dos corsários de Lafitte, estavam tomados pelo terror mais absoluto de uma criatura desconhecida que surgira para eles no meio da noite. Tratava-se de vodu, aparentemente, mas de um tipo de vodu mais terrível do que eles jamais haviam visto, e algumas das mulheres e crianças haviam desaparecido desde o momento em que o malévolo tambor começara a bater sem parar, ao longe, dentro da mata negra e assombrada, onde nenhum morador se arriscava a ir. Ouviram-se berros insanos e gritos angustiantes, cânticos arrepiantes e demoníacas labaredas dançantes; e, o mensageiro apavorado acrescentara, as pessoas já não suportavam mais.

Assim, um destacamento de vinte policiais, ocupando duas carruagens e um automóvel, partiu no final da tarde com o trêmulo morador como guia. Ao final da estrada transitável, eles desembarcaram, e por quilômetros chapinharam em silêncio, atravessando os terríveis bosques de ciprestes, onde a luz do dia jamais penetrava. Feias raízes e malignas folhas longas de musgo barba-de-velho os cercavam, e de quando em quando uma pilha de pedras úmidas ou fragmentos de um muro apodrecido intensificavam, por sua sugestão de mórbida habitação, uma depressão que cada árvore malformada e cada ilhota de fungos se combinavam para criar. Enfim, o acampamento do morador, um miserável amontoado de choupanas, surgiu no horizonte, e histéricos vizinhos correram e se agruparam em volta de algumas lanternas acesas. As batidas abafadas dos tambores agora eram quase inaudíveis muito ao longe, e um grito pavoroso vinha a intervalos espaçados quando o vento mudava. Um clarão avermelhado também parecia se infiltrar através da vegetação pálida, além das infinitas galerias da floresta noturna. Relutantes até mesmo em se deixarem ficar sozinhos de novo, os moradores apavorados se recusaram terminantemente a dar um passo na direção da profana idolatria, de modo que o inspetor Legrasse e seus dezenove colegas se lançaram sem guia por entre aqueles arcos negros de um horror que nenhum deles jamais trilhara antes.

A região ora penetrada pela polícia era considerada tradicionalmente maligna, bastante desconhecida e despovoada de homens brancos. Existiam lendas sobre um lago oculto, jamais vislumbrado por olhos mortais, onde vivia uma criatura semelhante a um imenso e informe pólipo branco com olhos luminosos; e os moradores sussurravam que demônios com asas de morcego saíam de cavernas da terra profunda para idolatrá-lo à meia-noite. Diziam que a criatura estava lá desde antes de D'Iberville, antes de La Salle, antes dos índios, e antes até dos animais e aves da floresta. Era o pesadelo em si, e vê-lo significava morrer. Mas ele fazia os homens sonharem, e assim eles foram prudentes em manter distância.

Aquela orgia vodu, de fato, estava acontecendo nas bordas da região abominada, mas já em trecho considerado perigoso o bastante; por isso talvez o próprio local do culto tivesse aterrorizado os moradores mais do que os sons e incidentes chocantes.

Só a poesia ou a loucura poderia fazer jus aos barulhos ouvidos pelos homens de Legrasse ao vadearem através do atoleiro negro em direção ao clarão rubro e aos tambores abafados. Existem qualidades vocais peculiares aos homens, e qualidades vocais peculiares aos animais, e é terrível ouvir uma coisa quando a fonte deveria emitir outra. A fúria animal e a licenciosidade orgíaca aqui se açoitavam em direção a demoníacas alturas por meio de uivos e êxtases grasnados, que irrompiam e reverberavam através da mata escura como tempestades pestilentas dos golfos infernais. De quando em quando, o ulular menos organizado cessava e, do que parecia um ensaiado coro de vozes roucas, erguia-se cantarolada a hedionda frase ritual:

"Ph'nglui mglw'nafh Cthulhu R'lyeh wgah'nagl fhtagn."

Então os policiais, chegando a um ponto onde as árvores rareavam, de repente se depararam com o espetáculo em si. Quatro deles hesitaram, um desmaiou, e dois ficaram abalados a ponto de começarem a gritar freneticamente, o que por sorte foi abafado pela louca cacofonia da orgia. Legrasse jogou água do pântano no rosto do homem desmaiado, e ficaram todos trêmulos e quase hipnotizados de horror.

Em uma clareira natural do pântano, havia uma ilha relvada de talvez um acre de extensão, sem árvores e razoavelmente seca. Ali agora pulava e se contorcia uma indescritível horda de anomalias humanas que ninguém senão um Sime ou um Angarola seria capaz de pintar. Desprovida de roupas, a híbrida prole zurrava, berrava e se retorcia em torno a uma monstruosa fogueira circular no centro da qual, revelado por ondulações ocasionais na cortina de chamas, erguia-se um grande monólito de granito, de uns dois metros e meio de altura; no topo dele, incongruentemente diminuta, estava a maldita estatueta entalhada. De um largo círculo de dez patíbulos, montados a intervalos regulares, com o monólito cingido pelas chamas como centro, pendiam, de cabeça para baixo, os corpos bizarramente marcados dos moradores desaparecidos. Era dentro desse círculo que os idólatras pulavam e rugiam, sendo a direção geral do movimento da massa da esquerda para a direita, em bacanal infinita, entre o círculo de corpos e o círculo de fogo.

Pode ter sido só imaginação e podem ter sido ecos que induziram um dos policiais, um excitável espanhol, a imaginar ter ouvido respostas em antífonas ao ritual, vindas de algum ponto distante e às escuras, no fundo da mata de antigas lendas e horrores. Esse homem, Joseph D. Galvez, mais tarde encontrei e questionei, e ele se mostrou desconcertantemente imaginativo. Foi longe, a ponto de sugerir ter ouvido o distante bater de asas imensas e de ter visto de relance olhos brilhantes e um volume branco montanhoso além das árvores mais remotas – mas suponho que ele tenha se deixado levar pelas superstições nativas.

Na verdade, a pausa horrorizada dos policiais foi de duração relativamente breve. Primeiro vinha o dever; e, embora devesse haver quase cem mestiços idólatras no grupo, a polícia valeu-se de suas armas de fogo e penetrou decidida aquela multidão repulsiva. Durante cinco minutos a balbúrdia e o caos resultantes foram além de qualquer descrição. Houve golpes selvagens, tiros disparados e algumas fugas, mas no final Legrasse conseguiu contar cerca de 47 prisioneiros taciturnos, os quais ele obrigou que se vestissem às pressas e formassem fila entre duas fileiras de policiais. Cinco idólatras morreram, e dois gravemente feridos foram levados embora em padiolas improvisadas por seus colegas prisioneiros. A imagem sobre o monólito, é claro, foi removida com cuidado e levada por Legrasse.

Examinados na delegacia após uma viagem de intenso esforço e exaustão, os prisioneiros se mostraram pessoas de origem muito humilde, mestiços e de mentalidade aberrante. A maioria eram marinheiros, e alguns negros e mulatos, principalmente das Índias Ocidentais e da ilha Brava do arquipélago de Cabo Verde, conferiam uma cor de vodu ao culto heterogêneo. Mas, antes que muitas perguntas fossem feitas, ficou evidente que algo muito mais profundo e antigo que o fetichismo dos negros estava ali envolvido. Por mais degradadas e ignorantes que fossem, as criaturas atinham-se com surpreendente coerência à ideia central de sua devoção repugnante.

Elas idolatravam, segundo disseram, os Grandes Antigos que viveram eras antes de existir o homem e que tinham vindo do céu quando o mundo era novo. Esses Antigos tinham ido embora agora, para dentro da terra e debaixo do mar, mas seus cadáveres tinham revelado seus segredos em sonhos para os primeiros homens, que formaram um culto que jamais morreu. Esse era aquele culto, e os prisioneiros contaram que ele sempre existiu e sempre existiria, oculto nos ermos distantes e lugares escuros do mundo inteiro até o dia em que o grande sacerdote Cthulhu, de sua casa escura na poderosa cidade de R'lyeh, embaixo das águas, vai se levantar e impor outra vez seu poder sobre a terra. Algum dia ele faria seu chamado, quando as estrelas estiverem prontas, e o culto secreto estaria sempre esperando para libertá-lo.

Nada mais deve ser dito por ora. Havia um segredo que nem mesmo a tortura seria capaz de extrair. A humanidade não estava absolutamente sozinha entre as criaturas conscientes da terra, pois formas vinham do escuro visitar aqueles poucos fiéis. Mas essas formas não eram os Grandes Antigos. Homem nenhum jamais viu os Antigos. O ídolo entalhado era o grande Cthulhu, mas ninguém sabia dizer se os outros eram ou não exatamente como ele. Ninguém mais conseguia ler a escrita antiga, mas as coisas foram sendo passadas de boca em boca. O ritual entoado não era o segredo – o segredo jamais era dito em voz alta, apenas sussurrado. O cântico significava apenas o seguinte: "Em sua casa em R'lyeh, Cthulhu morto espera sonhando."

Apenas dois dos prisioneiros foram considerados mentalmente sãos o suficiente para serem enforcados, e o resto foi internado em diversas instituições. Todos negaram participação nos assassinatos rituais e alegaram que as mortes tinham sido causadas pelos Asas Negras, que tinham vindo até eles, surgidos do imemorial ponto de encontro na mata assombrada. Mas sobre esses misteriosos seres alados nenhum relato coerente jamais foi obtido. O que a polícia apurou, na verdade, veio sobretudo de um mestiço imensamente idoso chamado Castro, que alegou ter navegado por portos estranhos e conversado com líderes imortais do culto nas montanhas da China.

O velho Castro se lembrava de pedaços da lenda hedionda, que empalidecia as especulações dos teósofos e fazia o homem e o mundo parecerem na verdade recentes e passageiros. Passaram-se eras em que outros Seres dominaram a terra, e Eles tiveram grandes cidades. Resquícios Deles, os chineses imortais lhe teriam dito, ainda podiam ser encontrados como pedras ciclópicas em ilhas do Pacífico. Todos Eles morreram vastas extensões de tempo antes da chegada do homem, mas havia artes capazes de revivê-Los quando as estrelas voltassem às posições certas no ciclo da eternidade. Na verdade, Eles tinham vindo das estrelas, e trazido consigo Suas imagens.

Esses Grandes Antigos, continuou Castro, não eram compostos de nada parecido com carne e ossos. Eles tinham forma – pois a imagem estrelada não provava isso? –, mas essa forma não era feita de matéria. Quando as estrelas estavam certas, Eles podiam passar de mundo em mundo através do céu; no entanto, quando as estrelas estavam erradas, Eles não podiam viver. Mas, embora já não estivessem mais vivos, Eles nunca morriam realmente. Eles estão todos lá deitados em casas de pedra em Sua grande cidade de R'lyeh, preservados pelos encantamentos do poderoso Cthulhu, para a gloriosa ressurreição, quando as estrelas e a terra estiverem mais uma vez prontas para Eles. Porém nesse momento alguma força externa deverá agir para libertar Seus corpos. Os encantamentos que Os preservaram intactos, da mesma forma, também impedem que façam um movimento inicial, e Eles só puderam ficar deitados, acordados no escuro, pensando, enquanto incontáveis milhões de anos se passaram. Sabiam de tudo o que estava ocorrendo no universo, mas Seu modo de comunicação era a transmissão de pensamento. Agora mesmo Eles estavam falando em Suas sepulturas. Quando, após infinidades de caos, os primeiros homens vieram, os Grandes Antigos falaram com os mais sensíveis entre eles, moldando seus sonhos, pois apenas assim a linguagem Deles chegaria às mentes carnais dos mamíferos.

Então, sussurrou Castro, aqueles primeiros homens formaram o culto em torno de pequenos ídolos que os Grandes Antigos mostraram para eles; ídolos trazidos para regiões obscuras, vindos de estrelas apagadas. Esse culto jamais morreria até que as estrelas ficassem certas de novo, e os sacerdotes secretos tirariam o grande Cthulhu de Sua sepultura, para reviver Seus súditos e retomar Seu domínio sobre a terra. O momento seria fácil de descobrir, pois nessa altura a humanidade teria se tornado como os Grandes Antigos, livre e selvagem e além do bem e do mal, com leis e moral deixadas de lado e todos os homens gritando e matando e se regozijando de alegria. Então os Antigos libertados ensinariam aos homens novos modos de gritar e matar e se regozijar e se rejubilar, e a terra inteira se incendiaria em um holocausto de êxtase e liberdade. Até lá, o culto, seguindo os ritos apropriados, devia manter viva a memória daqueles procedimentos antigos e lançar a profecia desse retorno.

Nos tempos antigos, homens escolhidos haviam conversado em sonhos com os Antigos sepultados, mas então algo aconteceu. A grande cidade de pedra de R'lyeh, com seus monólitos e sepulcros, afundou sob as ondas; e as águas profundas, cheias do mistério primordial que nem o pensamento é capaz de atravessar, interromperam a relação espectral. Contudo a memória nunca morreu, e os sacerdotes disseram que a cidade ressurgiria quando as estrelas estivessem certas. Então surgiram da terra os espíritos negros terrenos, cobertos de mofo e sombra, e cheios de rumores obscuros ouvidos em cavernas embaixo do leito esquecido dos oceanos. Mas sobre eles o velho Castro não ousou falar muito. Ele logo se interrompeu, e nenhuma persuasão ou sutileza foi capaz de revelar mais nada nesse sentido. O *tamanho* dos Antigos, também, curiosamente, ele evitou mencionar. Sobre o culto, disse que achava que o centro ficava em meio aos desertos sem mapas da Arábia, onde Irem, a Cidade dos Pilares, sonha oculta e intacta. Não se tratava de um culto filiado ao das bruxas europeu, e era quase desconhecido para além de seus membros. Nenhum livro jamais aludira ao culto, embora os chineses imortais tivessem dito que havia duplos sentidos no *Necronomicon* do árabe louco Abdul Alhazred, que os iniciados podiam ler como preferissem, sobretudo no muito discutido dístico:

Não morre o que pode eternamente permanecer,
E, após estranhos éons, até a morte pode morrer.

Legrasse, profundamente impressionado e bastante confuso, havia perguntado em vão sobre as filiações históricas do culto. Castro, ao que parecia, contara a verdade quando disse que o culto era inteiramente secreto. As autoridades da Universidade de Tulane não puderam lançar luzes nem sobre o culto nem sobre a imagem, e então o detetive buscou as mais altas autoridades do país, e a única coisa que lhe deram em troca foi a história do professor Webb na Groenlândia.

O interesse febril despertado no encontro pela história de Legrasse, corroborada pela estatueta, foi ecoado nas correspondências subsequentes daqueles que a presenciaram, embora raras menções ocorram nas publicações formais da associação. A precaução é o primeiro cuidado daqueles acostumados a enfrentar eventuais charlatanismos e imposturas. Legrasse emprestou por algum tempo a imagem ao professor Webb, mas, com a morte deste, a estatueta foi devolvida ao inspetor, com quem continua até hoje e com quem a vi não faz muito tempo. É de fato uma coisa terrível e indiscutivelmente semelhante à peça onírica do jovem Wilcox.

Que meu tio ficou excitado com a história do escultor, eu não duvidei, pois que ideias não devem ter surgido ao ouvir, depois de tomar conhecimento do que Legrasse havia apurado sobre o culto, sobre um jovem sensível que havia *sonhado* não só com a figura e os exatos hieróglifos da imagem encontrada no pântano e na demoníaca placa da Groenlândia, mas que mencionava *em seus sonhos* ao menos três palavras exatas da fórmula pronunciada igualmente pelos esquimós diabolistas e pelos mestiços da Louisiana? O início imediato de uma pesquisa o mais completa possível por parte do professor Angell foi bastante natural, embora, em particular, eu desconfiasse que o jovem Wilcox tivesse ouvido falar do culto de alguma maneira indireta e tivesse inventado uma série de sonhos para acentuar e dar continuidade ao mistério à custa do meu tio. As narrativas oníricas e os recortes colecionados pelo professor foram, é claro, fortes corroborações, porém o racionalismo do meu pensamento e a extravagância do assunto como um todo me levaram a adotar o que julguei serem as conclusões mais sensatas. Assim, depois de estudar exaustivamente o manuscrito mais uma vez e correlacionar anotações teosóficas e antropológicas com a narrativa do culto de Legrasse, fiz uma viagem a Providence para visitar o escultor e repreendê-lo, como eu julgava devido por ter se aproveitado de um homem erudito e idoso.

Wilcox ainda morava sozinho no edifício Fleur-de-Lys na rua Thomas, uma macabra imitação vitoriana da arquitetura bretã do século XVII, que projetava sua fachada de gesso em meio a adoráveis casas coloniais na antiga colina, e sob a própria sombra do mais belo campanário georgiano na América. Encontrei-o trabalhando em seus aposentos e imediatamente concluí pelas peças espalhadas que seu gênio era de fato profundo e autêntico. Ele será, acredito, em algum momento descoberto como um dos grandes decadentistas, pois conseguiu cristalizar em argila – e um dia espelhará em mármore – aqueles pesadelos e fantasias que Arthur Machen evoca na prosa, e Clark Ashton Smith torna visíveis em verso e em pintura.

Moreno, frágil e algo desmazelado em seu aspecto, ele se virou languidamente quando bati na porta e me perguntou o que eu queria sem se levantar. Quando lhe contei quem eu era, ele demonstrou certo interesse, pois meu tio havia excitado sua curiosidade ao sondar seus sonhos estranhos, embora jamais lhe explicasse o motivo do estudo. Não ampliei seu conhecimento a esse respeito, mas tentei com certa sutileza fazê-lo se abrir. Em pouco tempo, fiquei convencido de sua absoluta sinceridade, pois ele falou daqueles sonhos de uma maneira que ninguém poderia confundir com a mentira. Esses sonhos e seu resíduo subconsciente haviam influenciado profundamente sua arte, e ele me mostrou uma estátua mórbida cujos contornos quase me fizeram tremer com a potência de suas sugestões negras. Wilcox não se lembrava de ter visto o original daquele objeto exceto em seu próprio baixo-relevo onírico, mas os contornos haviam se formado sozinhos, imperceptivelmente, sob suas mãos. Era, sem dúvida, a forma gigante com a qual ele havia sonhado em seu delírio. Que ele de fato não sabia nada sobre o culto secreto, exceto o que o catecismo insistente do meu tio deixara escapar, isso ele deixou claro; e outra vez tentei imaginar alguma maneira plausível de o escultor ter recebido aquelas estranhas impressões.

Ele falava de seus sonhos de maneira estranhamente poética, fazendo-me ver com terrível nitidez a úmida cidade ciclópica de pedra verde e viscosa – cuja *geometria*, disse ele curiosamente, era *toda errada* – e ouvir com apavorado suspense o incessante chamado subterrâneo quase insano: *"Cthulhu fhtagn", "Cthulhu fhtagn"*. Essas palavras faziam parte do pavoroso rito que contava sobre a vigília onírica de Cthulhu, morto em seu cofre de pedra em R'lyeh, e me senti profundamente comovido, apesar de minhas crenças racionais. Wilcox, eu tinha certeza, devia ter ouvido falar do culto de forma casual e logo se esquecera disso em meio à massa de suas leituras e imaginações igualmente estranhas. Mais tarde, impressionado pela extrema peculiaridade, aquilo havia encontrado expressão subconsciente em seus sonhos, no baixo-relevo e na terrível escultura que eu agora tinha diante de mim; de modo que sua imposição sobre meu tio tinha sido inteiramente inocente. O rapaz era um tipo ao mesmo tempo um tanto afetado e um tanto mal-educado, de que nunca gostei, mas agora eu estava disposto a admitir tanto a sua genialidade quanto a sua honestidade. Despedi-me dele amigavelmente e desejei-lhe todo o sucesso que seu talento prometia.

A questão do culto ainda me fascinava, e cheguei a aventar conquistar fama pessoal com pesquisas sobre suas origens e conexões. Visitei Nova Orleans, conversei com Legrasse e outros policiais que haviam participado daquela batida, vi a imagem assustadora e até entrevistei alguns dos mestiços que haviam sido presos e ainda estavam vivos. O velho Castro, infelizmente, já tinha morrido fazia alguns anos. As coisas que ouvi tão explicitamente em primeira mão, embora de fato não fossem mais do que uma detalhada confirmação do que meu tio havia escrito, excitaram-me outra vez, pois tive certeza de que estava na pista de uma religião muito real, muito secreta e muito antiga, cuja descoberta faria de mim um antropólogo importante. Minha atitude ainda era de um absoluto materialismo, *como eu gostaria que ainda fosse*, e descartei como perversidade quase inexplicável a coincidência das anotações de sonhos e dos estranhos recortes colecionados pelo professor Angell.

Uma coisa que comecei a supor, e que agora receio ser uma *certeza*, é que a morte de meu tio não foi nada natural. Ele caiu de uma viela íngreme por onde subia, vindo da orla, cheia de mestiços estrangeiros, após um empurrão abrupto dado por um marinheiro negro. Eu não tinha me esquecido da presença dos mestiços e marinheiros entre os membros do culto na Louisiana, e não ficaria surpreso ao descobrir métodos secretos e agulhas envenenadas, tão cruéis e antigos quanto aqueles ritos e crenças enigmáticos. Legrasse e seus homens, é verdade, haviam sido deixados em paz, mas na Noruega certo marinheiro que vira coisas tinha morrido. As pesquisas mais profundas do meu tio, depois de encontrar os dados do escultor, não teriam chegado a ouvidos sinistros? Creio que o professor Angell tenha morrido porque sabia demais, ou porque provavelmente viria a saber demais. Se terei o mesmo fim é algo que ainda está para se decidir, pois agora sei tanto quanto ele.

III

A loucura do mar

Se o céu quiser um dia me conceder uma dádiva, seria o apagamento total dos resultados do mero acaso que fixou meus olhos em um pedaço solto de jornal em uma estante. Não era nada com que eu teria naturalmente me deparado durante minha rotina diária, pois se tratava de um velho número de uma publicação australiana, o *Sydney Bulletin*, de 18 de abril de 1925. Aquilo havia escapado até ao serviço de recortes que na época da publicação vinha avidamente recolhendo material para a pesquisa do meu tio.

Eu havia em grande medida abandonado minha investigação sobre o que o professor Angell chamara de "Culto de Cthulhu", e estava visitando um amigo erudito em Paterson, Nova Jersey, curador de um museu da cidade e mineralogista conhecido. Examinando um dia as peças da reserva técnica dispostas desordenadamente em estantes de estoque em uma sala dos fundos do museu, meus olhos deram com uma estranha figura em um dos velhos jornais espalhados embaixo das rochas. Tratava-se do *Sydney Bulletin* que mencionei, pois meu amigo tinha correspondentes em todas as partes imagináveis do mundo; e a figura era uma reprodução em meio-tom de uma hedionda imagem de pedra quase idêntica à que Legrasse encontrara no pântano.

Avidamente liberando o jornal de seus preciosos conteúdos, analisei a notícia em detalhes e fiquei decepcionado ao descobrir que não era muito longa. O que a nota sugeria, contudo, seria de significado portentoso para minha desgraçada missão, e a recortei com cuidado para começar a agir logo. A notícia dizia o seguinte:

MISTÉRIO À DERIVA NO MAR

Vigilant *chega rebocando navio neozelandês de guerra.*
Um sobrevivente e um homem morto encontrados a bordo.
Relato de batalha desesperada e mortes no mar.
Marinheiro resgatado se recusa a dar detalhes
da estranha experiência.
Ídolo desconhecido é encontrado com o marinheiro.
Inquérito será instituído.

O cargueiro Vigilant, *da Morrison Co., vindo de Valparaíso, chegou esta manhã às docas do porto de Darling, rebocando o vapor* Alert *de Dunedin, N.Z., bombardeado e inutilizado, mas com grande poder de fogo, que foi avistado no dia 12 de abril na latitude 34° 21' sul, e longitude 152° 17' oeste, com apenas um tripulante vivo e um homem morto.*

O Vigilant *partiu de Valparaíso no dia 25 de março, e no dia 2 de abril foi desviado muito ao sul de sua rota por tempestades extraordinariamente fortes e ondas monstruosas. No dia 12 de abril, o navio à deriva foi avistado; e, embora parecesse deserto, ao ser abordado revelou conter um sobrevivente em condições um tanto delirantes e um homem que evidentemente teria morrido havia mais de uma semana. O sobrevivente estava agarrado a um horrível ídolo de pedra de origem ignorada, de cerca de trinta centímetros de altura, sobre cuja natureza todas as autoridades da Universidade de Sydney, da Royal Society e do museu da rua College confessaram total perplexidade, e que o sobrevivente diz ter encontrado na cabine do navio, em um pequeno relicário entalhado comum.*

Esse homem, quando recobrou os sentidos, contou uma história muito estranha de pirataria e assassinato. Trata-se de Gustaf Johansen, um norueguês de certa inteligência que havia sido segundo imediato da escuna de dois mastros Emma *de Auckland, que partira de Callao no dia 20 de fevereiro com uma tripulação de onze homens. A escuna* Emma, *segundo ele, havia sido atrasada e lançada muito ao sul de sua rota pela grande tempestade do dia 1º de março, e no dia 22 de março, aos 49° 51' de latitude sul, e 128° 34' de longitude oeste, havia sido encontrada pelo* Alert, *controlado por uma bizarra e arrepiante tripulação de kanakas e mestiços. Ao receber a ordem peremptória de voltar, o capitão Collins se recusou; ao que a estranha tripulação disparou com violência e sem aviso contra a escuna com uma bateria particularmente pesada de canhões de latão que faziam parte do equipamento. Os homens da escuna revidaram, disse o sobrevivente, e, embora ela começasse a afundar com os disparos abaixo da linha d'água, eles conseguiram emparelhar com o inimigo e subir a bordo, lutando com a tripulação selvagem no convés do navio e sendo obrigados a matar todos eles, mesmo sendo os selvagens em número um pouco superior, devido a seu modo de combater particularmente repulsivo e desesperado, ainda que um tanto desajeitado.*

Três tripulantes da escuna Emma, *incluindo o capitão Collins e o primeiro imediato Green, foram mortos; e os outros oito, abaixo do segundo imediato Johansen, seguiram viagem no navio capturado, em sua direção original, para averiguar se havia algum motivo para a ordem de retornar. No dia seguinte, aparentemente, eles avistaram e atracaram em uma pequena ilha, embora não se saiba da existência de nenhuma ilha nesse trecho do oceano; e seis dos homens, de alguma forma, morreram em terra firme, ainda que Johansen seja estranhamente reticente quanto a essa parte da história e tenha relatado apenas que caíram em uma fenda na rocha. Depois, ao que parece, ele e outro companheiro embarcaram no navio e tentaram conduzi-lo, mas foram atingidos pela tempestade de 2 de abril. A partir desse momento, até seu resgate no dia 12, ele se recorda de pouca coisa, não se lembrando sequer de quando William Briden, seu companheiro a bordo, morreu. A morte de Briden não teve a causa aparente revelada, e provavelmente se deveu a um excesso de excitação ou exposição ao tempo. Telegramas de Dunedin informaram que o* Alert *era conhecido nas rotas comerciais das ilhas e tinha má reputação em todos os portos da região. O navio pertencia a um curioso grupo de mestiços cujos encontros frequentes e viagens noturnas às florestas atraíam grande curiosidade; eles haviam zarpado às pressas logo após a tempestade e os tremores de terra do dia 1º de março. Nosso correspondente em Auckland reportou que a escuna* Emma *e sua tripulação gozavam de excelente reputação, e Johansen é descrito como um homem sóbrio e digno. O almirantado instituirá inquérito sobre o caso a partir de amanhã, e serão feitos esforços para induzir Johansen a falar mais abertamente do que ele tem falado até agora.*

Isso era tudo, além da figura do ídolo infernal, mas que turbilhão de ideias aquilo disparou em meus pensamentos! Ali estavam novos tesouros de informação sobre o Culto de Cthulhu e evidências de um estranho interesse tanto pelo mar quanto pela terra firme. Que motivo teria levado a tripulação mestiça a ordenar que a escuna *Emma* voltasse quando passaram com seu ídolo hediondo? Que ilha desconhecida era essa onde seis membros da tripulação da escuna *Emma* haviam morrido e sobre a qual o imediato Johansen era tão sigiloso? O que a investigação do vice-almirantado apurara, e o que se sabia do maldito culto em Dunedin? E, o mais maravilhoso de tudo, que profunda e mais do que natural sincronia de datas era aquela que conferia maligno e agora inegável significado aos diversos acontecimentos cuidadosamente recolhidos pelo meu tio?

No dia 1º de março – ou, para nós, 28 de fevereiro, segundo a Linha Internacional de Data – o terremoto e a tempestade vieram. Vindo de Dunedin, o *Alert* e sua ruidosa tripulação haviam partido avidamente como se atendessem a uma convocação imperiosa, e do outro lado da terra, poetas e artistas haviam começado a sonhar com uma estranha, úmida e ciclópica cidade, enquanto um jovem escultor moldava em pleno sono a forma do temido Cthulhu. A 23 de março, a tripulação da escuna *Emma* desembarcou em uma ilha ignota e deixou ali seis homens mortos; e naquela mesma data os sonhos de homens sensíveis assumiram uma nitidez acentuada e escureceram com o pavor da perseguição maligna de um monstro gigantesco, enquanto um arquiteto enlouquecia e um escultor subitamente mergulhava em delírio! E quanto à tempestade de 2 de abril, data em que todos os sonhos da cidade úmida cessaram, e Wilcox emergiu incólume do suplício da estranha febre? E quanto a tudo isso – e todas as insinuações do velho Castro dos Antigos afogados, nascidos das estrelas, e seu reinado futuro, o culto fiel *e seu domínio sobre os sonhos*? Estaria eu cambaleando à beira de horrores cósmicos insuportáveis à força humana? Caso estivesse, deviam ser horrores exclusivamente mentais, pois de alguma forma o dia 2 de abril pusera um ponto final a qualquer ameaça monstruosa que tivesse começado seu cerco à alma da humanidade.

Naquela noite, depois de um dia agitado de telegramas e providências, despedi-me de meu anfitrião e tomei um trem para São Francisco. Dali a menos de um mês, eu estava em Dunedin, onde, contudo, descobri que pouco sabiam sobre os estranhos membros do culto que frequentava as velhas tavernas de marinheiros. A escória do porto era algo comum demais para qualquer menção espacial, embora houvesse lembranças vagas de uma viagem que aqueles mestiços teriam feito para o interior da ilha, durante a qual tambores distantes teriam sido ouvidos e labaredas vermelhas vistas nas serras ao longe. Em Auckland, descobri que Johansen tinha voltado *com seu cabelo loiro todo branco*, após um interrogatório irrelevante e inconclusivo em Sydney, e que havia então vendido sua casa na rua West e navegado com a esposa de volta à sua Oslo natal. Sobre a agitada experiência, ele não diria aos amigos nada além do que dissera aos oficiais do almirantado, e tudo o que puderam fazer foi me dar seu endereço em Oslo.

Depois disso, fui a Sydney e conversei inutilmente com marinheiros e membros da corte do vice-almirantado. Vi o *Alert*, já vendido pela marinha e em uso comercial, no cais Circular em Sydney Cove, mas não consegui apurar nada de seu casco evasivo. A imagem acocorada com sua cabeça de sépia, corpo de dragão, asas de escamas e pedestal de hieróglifos estava preservada no museu em Hyde Park; pude estudá-la por bastante tempo e muito bem, considerando-a objeto de maestria cruelmente sofisticada, e com o mesmo mistério total, a mesma terrível antiguidade e a sobrenatural estranheza do material que eu havia notado no exemplar menor de Legrasse. Alguns geólogos, disse-me o curador, haviam considerado o objeto um enigma monstruoso, pois juraram que o planeta não continha nenhuma rocha semelhante. Então pensei com um calafrio no que o velho Castro tinha dito a Legrasse sobre os Grandes Antigos: "Eles tinham vindo das estrelas e trazido consigo Suas imagens."

Abalado com uma revolução mental como eu jamais tivera antes, decidi visitar o imediato Johansen em Oslo. Tomei um navio em Londres e embarquei diretamente para a capital norueguesa e num dia de outono atraquei nas docas impecáveis à sombra do castelo Egeberg. O endereço de Johansen, descobri, ficava na Cidade Velha do rei Haroldo Hardråde, que mantivera vivo o nome de Oslo durante todos os séculos em que a cidade maior se disfarçara como "Christiania". Fiz a breve viagem de táxi e bati com o coração palpitante na porta de um edifício conservado e antigo com fachada de gesso. Uma mulher de rosto triste e vestida de preto atendeu a porta, e senti uma pontada de decepção quando ela me disse em inglês hesitante que Gustaf Johansen já não existia.

Ele não havia sobrevivido ao retorno, disse a esposa, pois os acontecimentos no mar em 1925 tinham acabado com ele. Não contara à esposa nada além do que contara ao público, mas deixara um longo manuscrito – de "questões técnicas", segundo ele mesmo – escrito em inglês, evidentemente para poupá-la do risco de uma leitura casual. Durante uma caminhada por uma alameda estreita perto do cais de Gothenburg, um fardo de jornais caindo da janela de um sótão o atingira. Dois marinheiros lascarins logo o ajudaram a ficar em pé, mas, antes que a ambulância chegasse, ele estava morto. Os médicos não encontraram a causa plausível de seu fim e atribuíram a problemas cardíacos e constituição debilitada.

Então senti roer minhas entranhas aquele terror obscuro que jamais me deixará enquanto eu também não descansar, "acidentalmente" ou não. Convencendo a viúva de que minha conexão com as tais "questões técnicas" do marido era o bastante para me autorizar acesso ao manuscrito, levei o documento comigo e comecei a ler no navio de volta a Londres. Era um material singelo, delirante – uma tentativa de diário *post-facto* de um marinheiro ingênuo –, e tentava recordar dia a dia aquela última viagem tenebrosa. Não tentarei transcrevê-lo literalmente em toda a sua nebulosidade e redundância, mas revelarei o suficiente de seu tema para mostrar por que o som da água batendo na lateral da embarcação se tornou tão insuportável para mim que tampei os ouvidos com algodão.

Johansen, graças a Deus, não ficou sabendo de tudo exatamente, muito embora tivesse visto a cidade e o Ser, mas eu nunca mais conseguirei dormir tranquilo ao pensar nos horrores que espreitam incessantemente além da vida, no tempo e no espaço, e nas blasfêmias profanas das antigas estrelas que sonham no fundo do mar, conhecidas e adoradas por um culto fantasmagórico, disposto e ansioso para libertá-las no mundo quando outro terremoto erguer sua monstruosa cidade de pedra outra vez ao sol e ao ar livre.

A viagem de Johansen havia começado tal como ele contara ao vice-almirantado. A escuna *Emma*, descarregada, partira de Auckland a 20 de fevereiro e sentira a plena força daquela tempestade originada pelo terremoto que devia ter soerguido do leito do mar os horrores que preencheram os sonhos dos homens. Novamente sob controle, a escuna vinha em bom ritmo quando foi avistada pelo *Alert* a 22 de março, e pude sentir o remorso do imediato ao escrever sobre seu bombardeio e naufrágio. Sobre os malditos morenos idólatras do *Alert*, ele falava com horror significativo. Havia neles um aspecto especialmente abominável que fazia sua destruição parecer quase um dever, e Johansen mostrou-se ingenuamente espantado com a acusação de crueldade contra seus colegas durante os procedimentos da investigação no tribunal. Depois, levados pela curiosidade, no navio capturado sob o comando de Johansen, os homens avistaram um grande pilar de pedra destacando-se para fora d'água, e na latitude 47° 9' sul e longitude 126° 43' oeste chegaram a um litoral sujo de lama, lodo e ciclópicas construções cobertas de algas que só podiam ser a substância tangível do supremo terror terreno – a fantasmagórica e cadavérica cidade de R'lyeh, que fora construída imensuráveis eras antes da história pelas vastas e odiosas formas que se haviam infiltrado desde as estrelas escuras. Ali jaziam o grande Cthulhu e suas hordas, ocultos em cofres viscosos e esverdeados e enviando, enfim, após ciclos incalculáveis, os pensamentos que espalhavam medo nos sonhos dos sensíveis e chamavam imperiosamente os fiéis para vir em peregrinação libertadora e restauradora. De tudo isso, Johansen nem desconfiava, mas Deus sabe que logo veria o suficiente!

Suponho que apenas um único cume de montanha, a hedionda cidadela coroada por um monólito onde o grande Cthulhu estava enterrado, efetivamente tenha emergido das águas. Quando penso na *extensão* de tudo o que pode estar sendo chocado lá embaixo, quase desejo me matar em seguida. Johansen e seus homens ficaram deslumbrados com a majestade cósmica da Babilônia gotejante dos demônios antigos e devem ter intuído sem orientação que não se tratava de algo deste planeta ou de qualquer outro planeta sadio. Seu deslumbre com o inacreditável tamanho daqueles blocos de pedra esverdeados, com a vertiginosa altura do grande monólito entalhado e com a espantosa identidade das estátuas e baixos-relevos colossais com a estranha imagem encontrada no relicário a bordo do *Alert* é pungentemente visível em cada linha da apavorada descrição do imediato.

Sem saber o que era o futurismo, Johansen atingiu algo muito próximo disso ao falar da cidade; em vez de descrever alguma estrutura ou edifício definido, ele se atém apenas a impressões gerais de ângulos vastos e superfícies de pedra – superfícies grandes demais para pertencerem a qualquer coisa certa e seguramente desta terra, e pérfida com horríveis imagens e hieróglifos. Menciono o que ele dizia sobre *ângulos* porque isso sugere algo que Wilcox me contara sobre seus sonhos medonhos. Ele dissera que a *geometria* do lugar sonhado era anormal, não euclidiana e repulsivamente evocativa de esferas e dimensões distintas das nossas. Agora um marinheiro iletrado sentia a mesma coisa enquanto contemplava aquela realidade terrível.

Johansen e seus homens atracaram em um banco de lama íngreme daquela monstruosa acrópole e escalaram os titânicos blocos escorregadios e viscosos que jamais seriam uma escada humana. O próprio sol no céu parecia distorcido, visto através do miasma polarizador que emanava daquela perversão submersa, e a ameaça perturbadora e o suspense espreitavam com escárnio daqueles ângulos loucamente evasivos de pedra entalhada, onde um segundo olhar mostrava ser côncavo o que à primeira vista parecera convexo.

Algo muito próximo ao pavor se apoderou dos exploradores antes que qualquer coisa mais definida que pedra e lama e alga fosse avistada. Teriam todos fugido se não temessem a zombaria uns dos outros, e vasculharam, mas sem muita convicção – inutilmente, como se veria –, em busca de algum suvenir para levarem consigo.

Foi Rodriguez, o português, quem escalou a base do monólito e gritou avisando o que havia encontrado. Os demais foram atrás dele e olharam curiosos para a imensa porta entalhada com o familiar dragão-lula em baixo-relevo. Era, segundo Johansen, como uma grande porta de celeiro; todos acharam que era uma porta por causa do lintel, das ombreiras e jambas com ornamentos em volta, embora não soubessem se era deitada como um alçapão ou inclinada como uma porta de porão. Como Wilcox teria dito, a geometria do lugar era toda diferente. Não se podia saber ao certo se o mar e o chão eram horizontais, daí a posição relativa de todo o resto parecer fantasmagoricamente variável.

Briden empurrou a pedra em diversos lugares sem resultado. Então Donovan tateou a borda com delicadeza, pressionando um ponto de cada vez. Ele escalou interminavelmente pelos grotescos batentes de pedra – isto é, seria escalar se aquilo não fosse afinal horizontal –, e os homens se perguntaram como uma porta nesse universo podia ser tão vasta. Então, muito suave e lentamente, o painel de um acre de área começou a ceder para dentro, no alto, e eles viram que estava apenas apoiado. Donovan deslizou ou, de alguma forma, se atirou para baixo ou ao longo da jamba, e se juntou aos companheiros, e todos viram o bizarro recuo do portal monstruosamente entalhado. Nessa fantasia de distorção prismática, o portal teria se movido anomalamente na diagonal, parecendo contrariar todas as regras da matéria e da perspectiva.

A abertura estava enegrecida de uma treva quase densa. Aquela escuridão era de fato uma *qualidade positiva*, pois obscurecia algumas partes das paredes internas que deveriam estar expostas e, na verdade, se expeliu como fumaça após longas eras de aprisionamento, visivelmente escurecendo o sol ao escapar para o céu recuado e recurvo, batendo suas asas membranosas. O odor exalado das profundezas recém-abertas era insuportável, e dali a pouco o atento Hawkins pensou ter ouvido uma espécie de asqueroso chapinhar vindo lá debaixo. Todos prestaram atenção e continuaram ouvindo até que Aquilo se arrastou babujante aos olhos de todos e, rastejando, espremeu Sua imensidão gelatinosa e verde através do umbral negro em direção ao ar empesteado daquela venenosa cidade da loucura.

A caligrafia do pobre Johansen quase falha ao escrever isso. Dos seis homens que nem chegaram ao navio, ele acredita que dois tenham sucumbido de puro pavor naquele maldito instante. Aquele Ser não podia ser descrito – não há linguagem para tais abismos de demência gritante e imemorial, tais contradições sobrenaturais de toda matéria, toda força e toda ordem cósmica. Uma montanha caminhara ou cambaleara. Deus! Não era de espantar que por toda a terra um grande arquiteto tivesse enlouquecido, e o pobre Wilcox delirado de febre naquele instante telepático! O Ser dos ídolos, prole verde e viscosa das estrelas, havia despertado para reivindicar seu reinado. As estrelas estavam certas outra vez, e, o que um antigo culto falhara em fazer por desígnio, um bando de inocentes marinheiros fizera por acidente. Depois de vigintilhões de anos, o grande Cthulhu estava solto outra vez e faminto de prazer.

Três homens foram varridos pelas garras flácidas antes mesmo que alguém se virasse. Que Deus os tenha, se é que existe algum repouso no universo. Eram eles Donovan, Guerrera e Ångstrom. Parker escorregou enquanto os outros três afundavam freneticamente entre vistas infinitas de rocha incrustada de verde até o bote, e Johansen jura que ele foi engolido por um ângulo da construção que não deveria estar ali – um ângulo que era agudo, mas se comportou como se fosse obtuso. De modo que apenas Briden e Johansen chegaram ao bote e remaram desesperadamente de volta ao *Alert*, enquanto a monstruosidade montanhosa chapinhava suas rochas viscosas e hesitava em chafurdar na superfície da água.

O vapor não precisou ser desligado por inteiro, apesar do desembarque de todos os homens, e levou apenas alguns momentos de febril correria entre o leme e as caldeiras para fazer o *Alert* retomar seu curso. Lentamente, em meio aos horrores distorcidos da indescritível cena, o navio começou a cortar as águas letais; enquanto na construção daquela costa sanguinária que não era terrena o Ser titânico das estrelas babava e xingava, como Polifemo amaldiçoando o navio de Odisseu em fuga. Então, mais ousado que os afamados Ciclopes, o grande Cthulhu deslizou furtivamente para dentro da água e começou a persegui-los com golpes de potência cósmica que erguiam ondas. Briden olhou para trás e enlouqueceu, dando gargalhadas estridentes, e continuou rindo até que a morte o encontrou certa noite na cabine, enquanto Johansen vagava pelo convés delirando.

Mas Johansen ainda não havia desistido. Sabendo que aquele Ser poderia facilmente dominar o *Alert* antes que o vapor estivesse no ponto, ele optou por uma alternativa desesperada; ligou o motor na máxima velocidade, correu feito um raio pelo convés e virou o leme. Formou-se um poderoso turbilhão e espuma na água ruidosa e, conforme o vapor foi aumentando cada vez mais, o bravo norueguês levou seu navio ao encontro da gelatina perseguidora, que se erguia acima da espuma suja como a proa de um galeão demoníaco. A horrenda cabeça de lula e antenas que se contorciam era quase da altura do gurupés do resistente navio, mas Johansen continuou em frente. Então houve como o estouro de uma bexiga, uma nojeira lamacenta, como um peixe-lua sendo cortado, um fedor como o de mil sepulturas abertas e um som que o cronista não pôs no papel. Por um instante o navio ficou empesteado por uma nuvem verde, acre e cegante, e depois ficou apenas um vapor venenoso na popa, onde – santo Deus! – a dispersa plasticidade daquela inominável criatura celeste estava nebulosamente se *recombinando* em sua odiosa forma original, enquanto a distância se alargava a cada segundo que o *Alert* ganhava ímpeto a todo vapor.

E isso foi tudo. Depois, Johansen só ficou meditando diante do ídolo na cabine e preparando comida para si mesmo e para o maníaco que gargalhava ao seu lado. Ele não tentou navegar depois dessa primeira fuga ousada, pois a reação havia mutilado parte de sua alma. Então veio a tempestade do dia 2 de abril, e as nuvens se acumularam em sua consciência.

Há uma sensação de turbilhão espectral através de golfos líquidos do infinito, de cavalgadas vertiginosas através de universos rodopiantes na cauda de um cometa e de mergulhos histéricos do poço até a lua, e da lua de volta ao poço, animados por um coro gargalhante de deuses antigos, distorcidos e hilários, e zombeteiros diabretes com asas de morcego do Tártaro.

No meio daquele sonho, chegou o resgate – o *Vigilant*, o tribunal do vice-almirantado, as ruas de Dunedin e a longa viagem de volta para casa, para a velha casa perto do castelo de Egeberg. Ele não contaria nada – pensariam que ele ficou louco. Ele escreveria o que sabia antes de morrer, mas a esposa não poderia nem desconfiar. A morte seria uma bênção se pudesse ao menos apagar a memória.

Esse foi o documento que li, e agora o coloquei na caixa de alumínio ao lado do baixo-relevo e dos papéis do professor Angell. Com ele ficará este meu registro – este teste da minha própria sanidade, onde reuni elementos que espero que jamais sejam reunidos novamente. Eu vi tudo o que o universo pode conter de horror, e até os céus da primavera e as flores no verão desde então serão para sempre venenosos para mim. Mas não creio que minha vida será longa. Assim como meu tio se foi, como o pobre Johansen se foi, assim também eu hei de ir. Sei demais, e o culto ainda vive.

Cthulhu ainda vive, também, suponho, outra vez na fenda de rocha que o abriga desde que o sol era novo. Sua cidade maldita tornou a afundar, pois o *Vigilant* passou pelo local depois da tempestade de abril, mas seus ministros na terra ainda gritam e se agitam e matam em torno de monólitos adornados com seu ídolo em lugares ermos. Ele deve ter ficado preso quando a cidade afundou dentro de seu abismo negro, do contrário o mundo estaria agora berrando com pavor e frenesi.

Quem sabe como termina? O que se ergueu pode afundar, e o que afundou pode se erguer. A abominação espera e sonha nas profundezas, e a degeneração se espalha pelas cambaleantes cidades dos homens. Virá um dia – mas não devo e não posso nem pensar! Espero que, se eu não sobreviver a este manuscrito, os executores do meu testamento ponham a cautela na frente da audácia e garantam que ninguém mais o leia.

A COR VINDA DO ESPAÇO

A oeste de Arkham, as serras se erguem desmesuradas e há vales com florestas densas que machado nenhum jamais cortou. Clareiras estreitas e escuras onde as árvores se inclinam fantasticamente, e onde escorrem pequenos riachos que nunca refletiram a luz do sol. Nas colinas mais amenas, há sítios, antigos e rochosos, com chalés largos, cobertos de musgo, eternamente remoendo velhos segredos da Nova Inglaterra, a sota-vento de grandiosas saliências. Mas esses sítios agora estão todos abandonados, as amplas chaminés desmoronaram e os beirais colmados estão perigosamente abaulados nos gambréis baixos.

Os mais velhos foram embora, e nenhum forasteiro quer viver ali. Os franco-canadenses tentaram, os italianos tentaram, e os poloneses vieram e partiram. Não se trata de nada que possa ser visto ou ouvido ou tocado, mas por conta de algo que é imaginado. Não é um lugar bom para a imaginação e não traz sonhos repousantes à noite. Deve ser isso que afasta os forasteiros, pois o velho Ammi Pierce nunca lhes contou nada do que ele se lembra dos dias estranhos. Ammi, cuja cabeça não anda muito boa há anos, é a única pessoa que ainda se lembra, ou que ainda fala sobre os dias estranhos; e ele só ousa fazê-lo porque sua casa fica muito perto dos campos abertos e das estradas movimentadas dos arredores de Arkham.

Outrora havia uma estrada que subia as serras e atravessava os vales, que passava bem onde hoje é a charneca maldita, mas as pessoas pararam de usá-la e fizeram uma nova estrada, que faz uma curva para o sul. Vestígios da antiga ainda podem ser encontrados em meio às ervas daninhas de uma natureza selvagem que está voltando, e muitas delas sem dúvida continuarão lá mesmo quando metade dos buracos forem inundados para a construção do novo reservatório. Então a mata escura será cortada e a charneca maldita dormirá no fundo das águas azuis, cuja superfície espelhará o céu e se ondulará ao sol. E os segredos dos dias estranhos se juntarão aos segredos das profundezas, ao conhecimento oculto do velho oceano e a todo o mistério da terra primordial.

Quando visitei as serras e vales para fazer a avaliação do novo reservatório, as pessoas me disseram que era um lugar maligno. Disseram-me isso em Arkham, e como se trata de uma cidade muito antiga, cheia de lendas de bruxas, achei que esse mal devia ser algo que as avós sussurravam para as crianças ao longo de séculos. O próprio nome "charneca maldita" me parecia muito estranho e teatral, e eu me perguntei como a expressão teria entrado no folclore de um povo puritano. Depois vi o emaranhado turvo de clareiras e colinas a oeste com meus próprios olhos, e deixei de me espantar com qualquer coisa além de seu mistério antigo. Era de manhã quando vi a charneca maldita, mas lá havia sempre sombras à espreita. As árvores eram muito grossas, e seus troncos, muito grandes para uma floresta saudável da Nova

Inglaterra. Havia silêncio demais na penumbra das galerias entre as árvores, e o leito da floresta era muito mole, com musgo úmido e um tapete de anos infinitos de detritos.

Nas clareiras, principalmente ao longo do trajeto da estrada velha, havia pequenos sítios nas encostas; alguns com todas as construções de pé, alguns com uma ou duas apenas, e outros apenas com uma chaminé ou um porão solitários. Ervas e sarças reinavam, e furtivas criaturas selvagens sussurravam entre arbustos. Sobre todas as coisas pairava uma névoa de inquietude e opressão, um toque de irreal e grotesco, como se algum elemento vital de perspectiva ou claro-escuro estivesse errado. Não estranhei que os forasteiros não tivessem ficado, pois aquilo não era lugar de dormir. Parecia muito uma paisagem de Salvator Rosa, uma gravura proibida de um conto de terror.

Mas nem mesmo tudo isso era tão ruim quanto a charneca maldita. Foi algo que entendi no momento em que a vi no fundo de um vale espaçoso, pois nenhum outro nome seria tão apropriado a tal lugar, tampouco outro local se adequaria tão bem àquele nome. Era como se um poeta tivesse forjado a expressão depois de conhecer essa região em particular. Devia se tratar, pensei ao vê-la, do resultado de um incêndio – mas por que nada jamais crescera naqueles cinco acres de desolação cinzenta no meio da mata e dos campos, que se espraiava ao céu como uma grande mancha devorada por ácido? Ficava em grande parte ao norte da velha estrada, porém invadia um pouco o outro lado. Senti uma estranha relutância em me aproximar e só o fiz enfim porque meu trabalho me obrigava a atravessá-la. Não havia nenhum tipo de vegetação naquela vasta extensão de terra, mas apenas uma fina poeira cinzenta, ou cinzas, que vento nenhum parecia dispersar. As árvores ao seu redor eram doentias e atrofiadas, e muitos troncos mortos se erguiam ou jaziam apodrecendo na borda da charneca.

Ao passar andando às pressas, vi os tijolos e pedras derrubados de uma velha chaminé e de um porão à minha direita, e a bocarra negra escancarada de um poço abandonado, cujos vapores estagnados faziam estranhos truques com os matizes da luz do sol. Mesmo o longo e escuro aclive de florestas ao longe parecia acolhedor por contraste, e não estranhei mais os sussurros apavorados do povo de Arkham. Não havia nenhuma casa ou ruína por perto; mesmo nos velhos tempos o lugar devia ser ermo e remoto. E ao crepúsculo, receando passar outra vez naquele trecho agourento, contornei a charneca maldita a pé, na volta para a cidade, pela estrada curva ao sul. Desejei vagamente que se acumulassem nuvens no céu, pois uma estranha timidez diante dos vazios celestiais sobre minha cabeça havia rastejado para dentro da minha alma.

Ao anoitecer, perguntei aos velhos de Arkham sobre a charneca maldita e o que eles queriam dizer com a expressão "dias estranhos", que tantos murmuravam evasivamente. Não consegui, contudo, obter nenhuma resposta satisfatória, exceto que todo o mistério era muito mais recente do que eu imaginara. Não se tratava de um caso de velhas lendas, longe disso, mas algo ocorrido na geração dos meus próprios informantes. Acontecera nos anos 1880, e uma família havia desaparecido ou sido assassinada. Meus informantes não foram precisos; e, como todos me disseram para não dar ouvidos às histórias malucas do velho Ammi Pierce, procurei-o na manhã seguinte, ao descobrir que ele morava sozinho no velho chalé abaulado onde as árvores começavam a ficar muito grossas. Era um lugar terrivelmente arcaico e já começara a transpirar aquele discreto odor miasmático que paira nas casas que resistiram de pé tempo demais. Só depois de batidas persistentes consegui despertar o senhor idoso e, quando ele chegou lenta e timidamente até a porta, pude perceber que não estava contente em me ver. Não se tratava de um sujeito debilitado como eu esperava, mas seus olhos baixavam de um modo curioso e suas roupas desmazeladas e a barba branca deixavam-no com aparência muito exaurida e melancólica. Sem saber como seria melhor introduzir o assunto de suas histórias, aleguei uma questão profissional; contei-lhe sobre o meu levantamento e lhe fiz perguntas vagas sobre o distrito. Ele era muito mais brilhante e instruído do que eu fora levado a pensar e, antes que eu percebesse, já havia apurado o mesmo tanto sobre o assunto quanto qualquer outro homem com quem eu conversara em Arkham. Ele não se parecia com nenhum daqueles sujeitos rústicos que eu havia conhecido na região onde o reservatório seria construído. Da parte dele, não ouvi protestos contra os quilômetros de floresta e terras aráveis que seriam inundados, embora talvez ouvisse se sua casa não ficasse um pouco além dos limites do futuro lago. Alívio foi a única coisa que ele demonstrou; alívio pelo destino dos antigos vales escuros através dos quais ele perambulara durante toda a sua vida. Era melhor que ficassem embaixo d'água agora – melhor assim, desde os dias estranhos. E, dizendo isso, sua voz rouca ficou grave, enquanto seu corpo se inclinou para a frente e seu indicador direito começou a apontar trêmula e impressionantemente.

Foi então que escutei a história e, conforme sua voz hesitante arranhava e sussurrava, estremeci diversas vezes apesar do dia de verão. Em muitos momentos precisei tirar o informante de seus delírios, esclarecendo aspectos científicos, dos quais ele só se lembrava do que havia decorado a partir de pálidas lembranças de frases de professores, ou estabelecendo pontos sobre lacunas onde seu senso de lógica e continuidade falhava. Quando ele terminou, não estranhei que seu juízo houvesse se debilitado um pouco ou que o povo de Arkham não gostasse de falar muito sobre a charneca maldita. Voltei às pressas para o meu hotel antes de escurecer, sem querer que as estrelas surgissem sobre mim ao céu aberto; e no dia seguinte voltei a Boston para abandonar meu cargo. Eu não queria voltar a penetrar aquela penumbra caótica da velha floresta e daquelas colinas ou enfrentar outra vez aquela maldita charneca cinzenta, onde o poço negro se escancarava profundamente, ao lado dos tijolos e pedras desmoronados. O reservatório será construído em breve, e todos aqueles segredos antigos estarão seguros para sempre embaixo de profundezas de água. Mas nem assim creio que gostaria de visitar aquela região à noite – ao menos não quando as sinistras estrelas aparecem; e nada me convenceria a beber a nova água da cidade de Arkham.

Tudo começou, disse o velho Ammi, com o meteorito. Antes disso não havia nenhuma lenda selvagem desde os julgamentos das bruxas, e mesmo então essas florestas ocidentais não eram temidas como a pequena ilha do Miskatonic, onde o diabo montou seu tribunal ao lado de um curioso altar de pedra mais antigo que os índios. Essas matas não eram assombradas, e seu crepúsculo fantástico nunca foi terrível até chegarem os dias estranhos. Foi então que veio aquela nuvem branca do meio-dia, aquela sequência de explosões no ar e aquela coluna de fumaça vindo do vale lá longe no meio da mata. E, quando chegou a noite, Arkham inteira tinha ouvido falar da grande pedra que havia caído do céu e se fincado no chão ao lado do poço nas terras do Nahum Gardner. Essa era a casa que se erguia onde passou a ser a charneca maldita – a bela casa branca de Nahum Gardner, em meio a hortas e pomares férteis.

Nahum fora à cidade contar para as pessoas sobre a pedra e parara na casa de Ammi Pierce no caminho. Ammi, na época, tinha quarenta anos, e todas aquelas coisas bizarras ficaram fixadas muito fortemente em sua lembrança. Ele e a esposa foram com três professores da Universidade Miskatonic, que tinham vindo às pressas na manhã seguinte, para ver a estranha visita do desconhecido espaço estelar, e se perguntaram por que Nahum teria dito que era tão grande um dia antes. A pedra encolheu, Nahum dissera apontando para o grande monturo amarronzado sobre a terra rasgada e a grama carbonizada, próximas à arcaica picota do poço em seu quintal da frente; mas os especialistas responderam que pedras não encolhem. O calor da rocha persistia, e Nahum afirmou que a pedra emitia um brilho fraco à noite. Os professores experimentaram tocá-la com seus martelos de geólogo e descobriram que era estranhamente mole. Era, na verdade, tão mole que era quase plástica, e eles arrancaram, mais do que lascaram, uma amostra para análise. Levaram-na em um velho balde emprestado da cozinha de Nahum, pois mesmo um pedaço pequeno se recusava a esfriar. Na viagem de volta, eles pararam na casa de Ammi para descansar, e ficaram pensativos quando a sra. Pierce comentou que o fragmento estava ficando menor e queimando o fundo do balde. De fato, não era um pedaço grande, mas talvez eles tivessem arrancado menos do que tinham imaginado.

No dia seguinte – tudo isso ocorrera em junho de 1882 –, os professores saíram outra vez em grupo com grande entusiasmo. Ao passarem pela propriedade de Ammi, contaram-lhe sobre as coisas estranhas que a amostra revelara e como havia sumido inteiramente quando a puseram em um béquer de vidro. O recipiente também se desintegrou, e os especialistas falaram da estranha afinidade da pedra com o silício. A pedra comportara-se de modo inacreditável naquele bem equipado laboratório, sem reagir e sem exalar nenhum gás de sua composição ao ser aquecida com carvão, sendo de todo negativa no teste do cordão de bórax e logo se revelando absolutamente não volátil sob nenhuma temperatura factível, inclusive à chama de oxidrogênio. Sobre uma bigorna, a amostra se mostrou altamente maleável, e no escuro sua luminosidade era bem marcada. Obstinadamente se recusando a esfriar, a pedra logo deixou toda a faculdade em um estado de genuína excitação; e, quando, aquecida no espectroscópio, revelou estrias brilhantes diferentes de todas as cores conhecidas no espectro normal, houve conversas afoitas sobre novos elementos, propriedades ópticas bizarras e outras coisas que cientistas intrigados tendem a dizer diante do desconhecido.

Mesmo quente como estava, eles examinaram a pedra em um cadinho com todos os regentes apropriados. A água não surtiu efeito. O ácido clorídrico, a mesma coisa. O ácido nítrico e mesmo a água-régia fervilharam e respingaram contra sua tórrida invulnerabilidade. Ammi teve dificuldade de se lembrar de todas essas coisas, mas reconheceu alguns solventes quando os mencionei na ordem de uso mais comum. Usaram amônia e soda cáustica, álcool e éter, o nauseante dissulfeto de carbono e mais um bocado de outros; mas, embora o peso ficasse cada vez menor conforme o tempo passava e o fragmento parecesse esfriar um pouco, não houve nenhuma alteração nos solventes que mostrasse que tinham atacado minimamente a substância. No entanto, tratava-se de um metal, sem nenhuma dúvida. Era magnético, por exemplo, e após imersão nos solventes ácidos parecia haver leves resquícios de padrões de Widmannstätten no ferro meteórico. Quando o resfriamento se tornou considerável, passaram a testá-lo em vidro, e foi em um béquer de vidro que deixaram os pedaços do fragmento original enquanto trabalhavam. Na manhã seguinte, os pedaços e o béquer haviam sumido sem deixar vestígios, e apenas um ponto carbonizado mostrava o local da estante de madeira onde estiveram.

Tudo isso os professores contaram a Ammi quando fizeram uma pausa em sua casa, e mais uma vez ele foi com eles ver o mensageiro rochoso das estrelas, embora dessa vez a esposa não os tenha acompanhado. Agora a pedra havia certamente encolhido, e mesmo os sóbrios sábios não tiveram dúvida do que viram. Em toda a volta do reduzido caroço marrom próximo ao poço havia um espaço vago, exceto onde a terra cedera; e, enquanto um dia antes tinha mais de dois metros, agora mal chegava a um e meio. O meteoro ainda estava quente, e os cientistas estudaram sua superfície com curiosidade e separaram outro pedaço maior com martelo e cinzel. Eles escavaram fundo dessa vez e, quando examinaram a nova amostra, viram que o cerne daquela massa não era exatamente homogêneo. Eles haviam descoberto o que parecia ser uma seção lateral de um grande glóbulo colorido incrustado na substância. A cor, que lembrava algumas das faixas do estranho espectro do meteoro, era quase impossível de descrever; e só por analogia eles a chamaram de cor. Sua textura era lustrosa, e ao tato parecia prometer ser quebradiça e oca. Um dos professores bateu nela com um martelo, e ela explodiu com um estalido nervoso. Nada foi emitido, e imediatamente após a perfuração o pedaço inteiro desapareceu. Ela deixou para trás um espaço esférico oco de pouco mais de sete centímetros e meio, e todos acharam provável que outros seriam descobertos conforme a substância externa se dispersasse.

Mas eram vãs conjecturas, de modo que, após uma tentativa inútil de encontrar mais glóbulos perfurando o fragmento, os pesquisadores foram embora outra vez com uma nova amostra, que se revelou, contudo, tão intrigante no laboratório quanto sua predecessora havia sido. Além de ser quase plástica, possuir calor, magnetismo e uma discreta luminosidade, esfriar um pouco em meio a ácidos poderosos, possuir um espectro desconhecido, desfazer-se no ar e atacar componentes de silício com mútua destruição como resultado, a massa não apresentou mais nenhum outro aspecto identificado; e, ao final dos exames, os cientistas da faculdade foram obrigados a admitir que não sabiam classificá-la. Não era deste planeta, mas um pedaço do grande exterior, e como tal dotada de propriedades externas e obediente a leis externas.

Naquela noite, houve uma tempestade e, quando os professores foram à propriedade de Nahum no dia seguinte, tiveram uma amarga decepção. A pedra, como era magnética, devia possuir alguma propriedade elétrica peculiar, pois havia "atraído os raios", segundo Nahum, com uma persistência singular. Seis vezes em uma hora, o sitiante viu um raio atingir o sulco em seu quintal da frente, e quando a tempestade passou não havia restado mais nada ali além de um poço grosseiro junto à antiga picota, obstruído pela terra revolvida. Cavar nada adiantou, e os cientistas confirmaram como fato o desaparecimento total. Foi um fiasco completo – então não havia nada a fazer senão voltar ao laboratório e fazer mais exames com o evanescente fragmento cuidadosamente guardado em uma caixa de chumbo. Esse fragmento durou uma semana, ao final da qual nada de valor havia sido aprendido. Ao sumir de vez, não ficou sequer resíduo, e com o tempo os professores mal tinham certeza de realmente terem visto de olhos abertos aquele vestígio críptico dos insondáveis golfos do exterior; aquela única e estranha mensagem de outros universos e outros domínios da matéria, da força e da existência.

Como era natural, os jornais de Arkham exageraram muito o incidente com seu corpo acadêmico e enviaram repórteres para conversar com Nahum Gardner e sua família. Pelo menos um diário de Boston enviou um jornalista, e Nahum logo se tornou uma espécie de celebridade local. Ele era um sujeito magro, simpático, de seus cinquenta anos, e morava com a esposa e três filhos na aprazível propriedade do vale. Ele e Ammi se visitavam amiúde, assim como as esposas, e Ammi só tinha elogios sobre ele, mesmo passados tantos anos. Ele parecia um pouco orgulhoso da fama que seu sítio havia atraído e falou muito sobre o meteorito nas semanas seguintes. Julho e agosto foram quentes, e Nahum trabalhou duro cortando feno no pasto de dez acres depois do córrego Chapman; sua carroça rangente deixou sulcos profundos nas alamedas sombreadas. O trabalho aquele ano foi mais exaustivo que nos anos anteriores, e ele sentiu que a idade estava começando a se impor.

Então veio o tempo dos frutos e da colheita. As peras e maçãs lentamente amadureceram, e Nahum jurou que seus pomares prosperaram como nunca. Os frutos estavam crescendo, adquirindo dimensões fenomenais e um brilho nunca visto, e foram tão abundantes que ele precisou mandar vir mais barris para a próxima colheita. Mas, com o amadurecimento, veio a amarga decepção, pois de todo o belo conjunto de ilusória exuberância nem um único fruto era próprio para comer. No sabor refinado das peras e maçãs, havia se infiltrado um amargor furtivo e nauseante, de modo que os menores bocados induziam a um asco duradouro. A mesma coisa com os melões e os tomates, e Nahum infelizmente viu que toda sua safra estava perdida. Sagaz para conectar os fatos, ele afirmou que o meteorito havia envenenado o solo e deu graças aos céus por ter a maior parte das outras plantações em terreno mais alto e mais adiante na estrada.

O inverno veio mais cedo, e ficou muito frio. Ammi encontrou-se menos com Nahum do que era costume, e observou que ele começara a dar sinais de preocupação. O restante da família também parecia ter ficado taciturna, e deixaram de ser assíduos na igreja e em diversos eventos sociais da zona rural. Para tal reserva ou melancolia, nenhuma causa foi encontrada, embora todos na casa confessassem de quando em quando uma piora de saúde e uma vaga sensação de inquietude. O próprio Nahum deu a declaração mais definitiva ao dizer que ficara perturbado com certas pegadas na neve. Eram rastros comuns no inverno, de esquilos, coelhos e raposas, mas o macambúzio agricultor afirmou perceber algo de errado em sua natureza e disposição. Em nenhum momento ele foi específico, porém parecia pensar que não eram típicas da anatomia e dos hábitos que esquilos, coelhos e raposas deviam ter. Ammi ouviu sem interesse essa conversa, até uma noite passar de trenó pela casa de Nahum na volta de Clark's Corners. Era uma noite de lua, e um coelho cruzou a estrada, e os saltos daquele coelho foram mais longos do que Ammi e seu cavalo gostariam. Este último, a bem dizer, quase fugiu em disparada, mas foi contido pela rédea firme. Ammi passou a respeitar mais as histórias de Nahum depois disso, e se perguntou por que os cachorros de Gardner pareciam tão amuados e trêmulos toda manhã, quase perdendo a vontade de latir.

Em fevereiro, os meninos McGregor, de Meadow Hill, tinham saído para caçar marmota com suas espingardas, e não muito longe da propriedade de Gardner pegaram um espécime muito peculiar. As proporções do corpo pareciam ligeiramente alteradas de um modo bizarro e impossível de descrever, ao passo que a cara tinha adquirido uma expressão que nunca ninguém tinha visto em uma marmota antes. Os meninos ficaram genuinamente assustados e logo jogaram aquilo fora, de modo que apenas suas histórias grotescas chegaram ao povo da região. Mas a timidez dos cavalos perto da casa de Nahum passaria a ser algo admitido como certo, e os fundamentos para um ciclo de lendas sussurradas rapidamente foram tomando forma.

As pessoas juravam que a neve derretia mais depressa em volta da propriedade de Nahum do que em qualquer outro lugar, e no início de março houve uma espantosa discussão no armazém do Potter em Clark's Corners. Stephen Rice havia passado a cavalo pela propriedade de Gardner pela manhã e reparara em repolhos-gambás que brotavam na lama junto à mata do outro lado da estrada. Coisas daquele tamanho nunca tinham brotado ali e nem tinham cores estranhas que não podiam ser descritas com palavras. As formas eram monstruosas, e o cavalo havia resfolegado diante de um odor que pareceu a Stephen totalmente sem precedentes. Naquela tarde, diversas pessoas passaram para ver aquele crescimento anormal, e todos concordaram que plantas daquele tipo jamais deveriam brotar em um mundo sadio. Os frutos estragados do outono passado foram muito lembrados, e correu de boca em boca que havia veneno nas terras de Nahum. Claro que tinha sido o meteorito; e, lembrando-se de que os homens da universidade tinham dito que a pedra era muito estranha, diversos agricultores foram falar sobre o assunto com eles.

Um dia, foram visitar Nahum, mas, não sendo afeitos a histórias descabidas e ao folclore, foram muito conservadores no que concluíram. As plantas eram certamente peculiares, mas todo repolho-gambá é um tanto peculiar no formato, no odor e na coloração. Talvez algum elemento mineral da pedra tivesse penetrado no solo, contudo isso logo seria lavado pelas chuvas. E quanto às pegadas e aos cavalos assustados – evidentemente eram ideias provincianas que com certeza fenômenos como o aerólito acabavam despertando. Na realidade, não havia nada que os homens sérios pudessem fazer em casos de tagarelice extrema, pois provincianos supersticiosos eram capazes de dizer qualquer coisa e de acreditar em tudo. E assim, durante aqueles dias estranhos, os professores demonstraram desdém e não se aproximaram mais. Um deles, ao receber dois tubos com amostras de terra para análise durante uma investigação da polícia, um ano e meio depois, recordaria que a cor bizarra daquele repolho-gambá era muito parecida com as faixas anômalas de luz emitidas pelo fragmento de meteoro no espectroscópio da universidade e com o glóbulo quebradiço incrustado na pedra do abismo. As amostras da análise desse caso revelaram a princípio as mesmas estrias estranhas, embora mais tarde tenham perdido essa propriedade.

As árvores soltavam botões prematuros em torno da propriedade de Nahum e à noite balançavam agourentas ao vento. O segundo filho de Nahum, Thaddeus, um rapaz de quinze anos, jurou que elas balançavam também quando não havia vento, mas a isso nem a bisbilhotice alheia daria crédito. Decerto, contudo, a inquietude estava no ar. Toda a família Gardner desenvolveu o hábito de ouvir ruídos furtivos, embora não houvesse nenhum som que pudessem nomear conscientemente. Ouviam, na verdade, um produto de momentos em que a consciência parecia se afastar um pouco. Infelizmente esses momentos foram se intensificando a cada semana, até toda a gente começar a falar que "alguma coisa estava errada com o pessoal do Nahum". Quando a primeira saxífraga brotou, tinha outra cor estranha;

não como a do repolho-gambá, mas sem dúvida próxima, e igualmente desconhecida de todos que a viram. Nahum levou algumas flores para Arkham e as mostrou ao editor da *Gazette*, mas o importante figurão limitou-se a escrever um artigo humorístico a respeito, em que os temores obscuros dos rústicos moradores eram refinadamente ridicularizados. Foi um erro de Nahum contar a um impassível citadino sobre o modo como as enlutadas borboletas antíopes hipercrescidas se comportavam diante daquelas saxífragas.

Abril trouxe uma espécie de loucura para aquela gente do interior, que começou a evitar a estrada que passava pelas terras de Nahum e que levaria a seu abandono definitivo. Era a vegetação. Todas as árvores frutíferas floresciam em estranhas cores, e através do solo pedregoso do quintal e dos pastos adjacentes brotavam espécies bizarras que apenas um botânico poderia associar com a flora nativa da região. Não havia nenhuma cor saudável em nada que se visse ali, exceto o verde da relva e das folhas, mas em toda parte apenas aquelas variações agitadas e prismáticas de um tom primário doentio, subjacente, sem lugar entre os matizes conhecidos da terra. Os corações-sangrentos se tornaram uma ameaça sinistra, e as sanguinárias cresceram insolentes em sua perversão cromática. Ammi e os Gardners acharam que a maioria das cores possuíam uma espécie de familiaridade assombrosa e concluíram que lembravam o glóbulo quebradiço do meteoro. Nahum arou e semeou os dez acres do pasto e o terreno mais alto, mas não fez nada na terra em volta da casa. Ele sabia que não adiantaria e torceu para que a vegetação do verão arrancasse todos os venenos do solo. Agora, ele estava preparado para praticamente qualquer coisa, e havia se acostumado à sensação de ter algo perto de si que desejava ser ouvido. O fato de os vizinhos evitarem sua casa teve efeito sobre ele, é claro, mas teve efeito ainda maior na esposa. Os meninos sofreram menos, passando o dia na escola, entretanto não podiam evitar de se espantar com a tagarelice alheia. Thaddeus, um rapaz especialmente sensível, foi o que mais padeceu.

Em maio vieram os insetos, e o sítio de Nahum se tornou um pesadelo de zumbidos e rastejos. A maioria das criaturas não tinha mais os mesmos aspectos e movimentos de costume, e seus hábitos noturnos contradiziam toda a experiência anterior. Os Gardners passaram a vigiar à noite – vigiando em todas as direções, a esmo, procurando... não sabiam o quê. Foi então que todos admitiram que Thaddeus estava certo sobre as árvores. A sra. Gardner foi a segunda a ver pela janela, enquanto observava os galhos de um bordo carregados contra o céu enluarado. Os ramos seguramente se mexeram, e não estava ventando. Devia ser a seiva. A estranheza estava agora em tudo o que crescia. No entanto, não foi ninguém da família de Nahum quem fez a descoberta seguinte. A familiaridade os havia entorpecido, e o que eles não conseguiram enxergar foi visto de relance por um tímido vendedor de moinhos de Bolton que passou de carro uma noite, ignorando as lendas da região. O que ele disse em Arkham saiu em um breve parágrafo da *Gazette*; foi ali que todos os agricultores, Nahum incluso, viram pela primeira vez. A noite estava escura, e as lanternas das carroças, muito fracas, mas em volta de uma propriedade no vale, que todo mundo sabia por relatos que devia ser a de Nahum, a escuridão era menos espessa. Uma luminosidade tênue porém nítida parecia intrínseca a toda a vegetação, relva e folhagem, e às flores também, quando, a certa altura, um pedaço da fosforescência pareceu se agitar furtivamente no terreno ao lado do celeiro.

O capim até então parecia intacto, e as vacas pastavam livres no terreno próximo à casa, mas ao final de maio o leite começou a estragar. Nahum levou as vacas para o terreno mais elevado, e depois disso o problema passou. Pouco depois, a mudança do capim e das folhagens se tornou aparente aos olhos de todos. Tudo o que era verde foi ficando cinza e desenvolveu uma qualidade quebradiça altamente singular. Ammi agora era a única pessoa que os visitava, e suas visitas foram se tornando cada vez menos frequentes. Quando a escola fechou, os Gardners ficaram quase isolados do mundo, e às vezes pediam que Ammi fizesse para eles suas tarefas na cidade. Eles estavam decaindo curiosamente, do ponto de vista físico e mental, e ninguém se surpreendeu quando chegou a notícia de que a sra. Gardner enlouquecera.

Aconteceu em junho, perto do aniversário de um ano da queda do meteoro, e a pobre mulher gritou coisas em vão que ela mesma seria incapaz de descrever. Em seu delírio, não havia um único substantivo específico, mas apenas verbos e pronomes. As coisas se moviam, se transformavam e esvoaçavam, e os ouvidos formigavam diante de impulsos que não eram exatamente sons.

Algo fora levado embora... Algo estava sendo drenado dela... Algo estava se fixando nela, algo que não deveria fazê-lo... Alguém precisava fazer com que aquilo se afastasse dela... Nada ficava imóvel à noite – as paredes e janelas se mexiam. Nahum não a enviou para o hospício do condado; deixou-a vagar pela casa contanto que ela continuasse inofensiva para si e para os outros. Mesmo quando a expressão dela mudou, ele não fez nada. Mas quando os meninos começaram a ficar com medo da mãe, e Thaddeus quase desmaiou vendo o modo como ela o encarava, o marido resolveu trancá-la no sótão. Em julho, ela tinha parado de falar e só engatinhava, e antes do fim do mês Nahum teve a ideia insana de que a esposa estava ligeiramente luminosa no escuro, como ele agora via com clareza que era o caso da vegetação vizinha à casa.

Foi um pouco antes disso que os cavalos fugiram em disparada. Alguma coisa os acordou no meio da noite, e os relinchos e coices em seus estábulos foram terríveis. Parecia que não havia realmente nada a fazer que os acalmasse, e, quando Nahum abriu a porta, eles fugiram em disparada como veados assustados. Levaram uma semana até localizar os quatro outra vez, e, quando os encontraram, estavam todos imprestáveis e indomáveis. Algo havia se rompido em seus cérebros, e foi preciso sacrificá-los com um tiro para o bem de todos os quatro. Nahum arranjou um cavalo emprestado de Ammi para fazer a colheita do feno, mas descobriu que o animal não se aproximava do celeiro. O cavalo refugava, empacava e relinchava, e no final ele não pôde fazer nada senão levá-lo para o quintal, enquanto os homens usaram a própria força para levar a pesada carroça até o campo de feno para facilitar o carregamento. E enquanto isso a vegetação foi ficando cinzenta e quebradiça. Até as flores, cujos matizes tinham ficado tão estranhos, agora estavam se acinzentando, e os frutos nasciam cinzentos, atrofiados e insípidos.

Os ásteres e as arnicas floresceram cinzentos e distorcidos, e as rosas e zínias e malvas do quintal da frente adquiriram uma aparência tão blasfema que o filho mais velho de Nahum, Zenas, cortou tudo. Os insetos estranhamente inchados morreram nessa época – até as abelhas, que tinham saído das colmeias e migrado para a mata.

Em setembro, toda a vegetação estava rapidamente se esfarelando e virando um pó acinzentado, e Nahum receou que as árvores fossem morrer antes que o veneno saísse do solo. A esposa agora tinha terríveis surtos de gritaria, e ele e os meninos viviam em constante estado de tensão nervosa. Eram eles agora quem evitavam as pessoas, e quando a escola reabriu os meninos não foram. Mas foi Ammi, em uma de suas raras visitas, quem se deu conta pela primeira vez de que a água do poço não estava mais boa. Tinha um gosto maligno que não era bem fétido nem exatamente salobro, e Ammi aconselhou o amigo a cavar outro poço no terreno mais elevado até o solo ficar bom outra vez. Nahum, no entanto, ignorou o alerta, pois àquela altura já se acostumara a coisas estranhas e desagradáveis. Ele e os meninos continuaram usando o estoque estragado, bebendo apática e mecanicamente a água, assim como comiam suas refeições escassas e mal cozidas, e cumpriam suas tarefas ingratas e monótonas ao longo de dias sem propósito. Havia certa resignação impassível neles todos, como se caminhassem em outro mundo, entre fileiras de vigias anônimos, rumo a um fim certo e familiar.

Thaddeus enlouqueceu em setembro, depois de uma visita ao poço. Ele tinha ido com um balde e voltara de mãos vazias, tremendo e agitando os braços, e às vezes tendo acessos de risinhos baixos ou sussurrando sobre "as cores se mexendo lá embaixo". Duas pessoas na mesma família estavam muito mal, mas Nahum foi muito corajoso a respeito. Deixou que o menino ficasse à vontade por uma semana, até que ele começou a tropeçar e a se machucar, e então o pai o trancou no sótão, no quarto em frente ao da mãe. O modo como os dois gritavam detrás de suas portas trancadas era abominável, sobretudo para o pequeno Merwin, que imaginava que estivessem falando em alguma língua terrível que não era da terra. Merwin foi ficando assustadoramente imaginativo e sua inquietação piorou depois que o irmão, seu maior parceiro de brincadeiras, também foi trancafiado.

Quase ao mesmo tempo, a mortandade das criações começou. As galinhas foram se acinzentando e morreram muito rápido, sua carne se revelou seca e fétida ao ser cortada. Os porcos engordaram absurdamente, então, de repente, começaram a passar por odiosas transformações que ninguém conseguia explicar. Sua carne, é claro, ficou imprestável, e Nahum chegou no limite da razão. Nenhum veterinário rural queria se aproximar de suas terras, e o veterinário de Arkham ficou totalmente desconcertado. Os leitões começaram a ficar grisalhos e frágeis e a se despedaçar antes de morrer, e seus olhos e focinhos desenvolveram alterações singulares. Era muito inexplicável, pois eles nunca tinham comido da vegetação contaminada. Então algo se abateu sobre o gado. Certas áreas ou por vezes o corpo inteiro apareciam misteriosamente enrugados ou atrofiados, e atrozes colapsos ou desintegrações se tornaram comuns. Nos estágios finais – e a morte era sempre o resultado –, os bois foram ficando cinzentos e quebradiços, como acontecera aos porcos. Não havia possibilidade de envenenamento, pois todos os casos ocorreram em um celeiro fechado e intacto. Nenhuma mordida de uma criatura à espreita poderia ter trazido o vírus, pois que animal terrestre poderia passar através de obstáculos sólidos? Só podia ser alguma doença natural – embora descobrir que doença era essa, capaz de desencadear tais resultados, ia além da capacidade de suposição de todos. Quando chegou a época da colheita, não havia nenhum animal vivo no sítio, pois os bois e as galinhas tinham morrido e os cachorros fugiram. Esses cães, três, sumiram uma noite e nunca mais se teve notícias deles. Os cinco gatos tinham ido embora um pouco antes, mas sua partida mal foi notada, pois aparentemente não havia mais ratos, e só a sra. Gardner cuidava dos graciosos felinos.

A 19 de outubro, Nahum chegou cambaleando à casa de Ammi com notícias tenebrosas. A morte havia levado o pobre Thaddeus em seu quarto no sótão e viera de um modo que não se podia descrever. Nahum havia cavado uma sepultura no cemitério cercado da família atrás da propriedade e pusera ali o que havia encontrado. Nada poderia ter vindo de fora da casa, pois a pequena janela com grades e a porta trancada estavam intactas – mas era como o que acontecera no celeiro. Ammi e a esposa consolaram o homem abatido da melhor forma que puderam, mas estremeceram ao fazê-lo. O absoluto terror parecia pairar sobre os Gardners e tudo o que eles tocavam, e a mera presença de um deles na casa era um sopro de regiões inominadas e inomináveis. Ammi acompanhou Nahum até sua casa com a maior relutância, e fez o que pôde para acalmar os soluços histéricos do pequeno Merwin. Zenas não precisou ser acalmado. Ultimamente ele passara a não fazer nada além de contemplar o espaço e obedecer às ordens do pai; e Ammi achou este ao menos um fim piedoso. De quando em quando os gritos de Merwin eram respondidos abafadamente do sótão, e em reação a um olhar inquisitivo Nahum contou que a esposa estava ficando muito fraca. Quando a noite chegou, Ammi conseguiu ir embora, pois nem mesmo a amizade poderia fazê-lo ficar naquele lugar depois que o lume fraco da vegetação surgisse e as árvores começassem ou não a se mexer mesmo sem vento. Era de fato uma sorte que Ammi não fosse mais imaginativo. Mesmo naquele estado de coisas, sua mente só se abalara um pouco, mas, se ele tivesse sido capaz de associar e refletir sobre todos os portentos à sua volta, inevitavelmente teria se tornado um maníaco completo. No crepúsculo, ele voltou depressa para casa, com os gritos da mulher louca e da criança nervosa ecoando horrivelmente em seus ouvidos.

Três dias depois, Nahum se esgueirou até a cozinha de Ammi de manhã cedo, e na ausência do dono da casa balbuciou mais uma vez uma história desesperada, enquanto a sra. Pierce ouvia tomada de pavor. Dessa vez, tinha sido o pequeno Merwin. Ele havia sumido. Saiu tarde da noite com uma lanterna e um balde para buscar água, e não voltou mais. O menino havia passado muito mal nos últimos dias e mal percebia o que estava fazendo. Gritava por qualquer coisa. Ouviu-se um berro frenético no quintal, mas antes que o pai chegasse até a porta Merwin tinha desaparecido. Não havia sequer a luz da lanterna que ele levara, e do menino em si nem sinal. Na hora, Nahum achou que a lanterna e o balde tinham sumido também, mas, quando amanheceu o dia e ele voltava da mata e dos campos onde procurou o filho a noite inteira, encontrou objetos muito curiosos perto do poço. Havia uma massa disforme e aparentemente derretida de ferro do que sem dúvida teria sido a lanterna, enquanto uma haste dobrada e aros de ferro retorcidos ao lado, também meio derretidos, pareciam sugerir os restos do balde. E mais nada. Nahum não precisou imaginar mais nada, a sra. Pierce ficou pasma, e Ammi, ao chegar em casa e ouvir a história, não fez qualquer comentário. Merwin tinha sumido, e não adiantava contar para as pessoas da região, que evitavam os Gardners. Tampouco adiantaria contar às pessoas de Arkham, que zombavam de tudo. Thad tinha morrido, e agora Merwin estava desaparecido. Algo se aproximava rastejando lentamente, à espera de ser visto e sentido e ouvido. Nahum logo também desapareceria, e ele queria que Ammi cuidasse da esposa e de Zenas, caso sobrevivessem a ele. Aquilo só podia ser algum tipo de castigo, embora ele não conseguisse imaginar o motivo, pois, segundo sua consciência, sempre vivera virtuosamente no caminho do Senhor.

Durante duas semanas, Ammi não teve notícias de Nahum, até que, preocupado com o que poderia ter acontecido, superou seus temores e foi fazer uma visita à propriedade dos Gardners. Não havia fumaça na grande chaminé, e por um momento o visitante pensou apreensivamente no pior. O aspecto geral do sítio era chocante – a grama seca e pálida e as folhas espalhadas pelo chão, as heras ressequidas caindo da fachada arcaica e das torres, e grandes árvores desfolhadas como garras projetadas sobre o céu cinzento de novembro com uma malignidade estudada que Ammi não pôde deixar de sentir vinda de uma súbita mudança na posição dos galhos. Mas Nahum estava vivo, afinal. Ele estava fraco, deitado em um sofá na cozinha de teto baixo, porém perfeitamente consciente e capaz de dar ordens simples a Zenas. Ali dentro estava um frio mortal, e, como Ammi tremia a olhos vistos, o anfitrião berrou bruscamente para Zenas ir buscar mais lenha. Lenha, na verdade, estava em falta, uma vez que a cavernosa lareira estava apagada e vazia, com uma nuvem de fuligem pairando ao vento frio que descia pela chaminé. Então Nahum perguntou se um pouco mais de lenha o deixaria mais confortável, e Ammi entendeu o que havia acontecido. Enfim a última fibra havia se partido, e a mente do infeliz sitiante se fechara contra mais tristezas.

Perguntando delicadamente, Ammi não conseguiu obter dados mais claros sobre o desaparecimento de Zenas.

– Lá no poço... ele está morando no poço... – era a única coisa que o pai atordoado conseguiria dizer.

Então cruzou a mente do visitante um súbito pensamento sobre a esposa louca, e ele mudou sua linha de questionamento.

– A Nabby? Ora, ela está lá em cima! – foi a resposta surpresa do pobre Nahum, e Ammi logo viu que era melhor procurar sozinho.

Deixando o indefeso delirante no sofá, ele pegou as chaves do prego ao lado da porta e subiu a escada rangente até o sótão. Era muito apertado e embolorado lá em cima, e não havia nenhum som vindo de nenhum lado. Das quatro portas à vista, apenas uma estava trancada, e nessa ele experimentou várias chaves do molho que trouxera. A terceira chave era a certa, e depois de algumas tentativas Ammi conseguiu abrir a porta branca e baixa.

Estava bastante escuro dentro do sótão, pois a janela era pequena e impedida pelas barras de madeira rústica; e Ammi não conseguia enxergar nada do assoalho de madeira. O fedor ia além do suportável, e antes de continuar ele precisou recuar para o corredor e encher os pulmões de ar respirável. Quando entrou, viu algo escuro no canto e, ao se aproximar para ver mais claramente, soltou um grito. Enquanto gritava ele achou que uma nuvem momentânea tinha eclipsado a janela, e no segundo seguinte se sentiu atravessado como que por uma odiosa corrente de vapor. Cores estranhas dançaram diante de seus olhos; se o horror presente não lhe tivesse turvado a consciência, ele teria pensado no glóbulo do meteoro que o martelo do geólogo havia esmigalhado e na mórbida vegetação que brotara na primavera. Na verdade, só conseguiu pensar na blasfema monstruosidade que o confrontava, e que sem dúvida partilhava do mesmo destino inominável do jovem Thaddeus e das criações do sítio. Porém o mais terrível daquele horror é que muito lenta e perceptivelmente a coisa se movia, ao mesmo tempo que se desfazia.

Ammi não me deu nenhum outro detalhe dessa cena, mas a forma no canto não torna a aparecer em seu relato como um objeto semovente. Existem coisas que não podem ser mencionadas, e atos cometidos por mera humanidade são às vezes julgados cruelmente pela lei. Deduzi que nenhuma criatura semovente restou viva naquele quarto do sótão, e que deixar qualquer coisa capaz de se mexer ali dentro teria sido um ato tão monstruoso que mereceria a condenação ao tormento eterno. Qualquer outro além de um agricultor inabalável teria desmaiado ou enlouquecido, porém Ammi saiu consciente pela porta baixa e trancou o maldito segredo atrás de si. Então precisaria lidar com Nahum; precisaria alimentá-lo e cuidar dele, levá-lo a algum lugar onde pudesse ser tratado.

Quando estava começando a descer a escada escura, Ammi ouviu uma batida lá embaixo. Chegou a pensar ter ouvido um grito subitamente sufocado e se lembrou, tenso, do vapor viscoso que passara por ele no pavoroso quarto do sótão. Que presença seu grito e sua entrada teriam despertado? Exaltado por um medo difuso, ele apurou os ouvidos e notou outros sons vindos lá de baixo. Sem dúvida alguma havia o som de algo pesado se arrastando, um ruído detestavelmente pegajoso, como uma espécie demoníaca e impura de sucção. Por uma associação de ideias instigada a alturas febricitantes, ele pensou inexplicavelmente no que havia visto lá em cima. Santo Deus! Que mundo onírico macabro era esse onde tinha ido parar? Ele não ousou mais avançar nem recuar, mas apenas ficou ali tremendo na curva negra da escada. Cada mínimo detalhe da cena estava gravado em fogo em seu cérebro. Os sons, a pavorosa sensação de expectativa, a escuridão, os degraus estreitos e íngremes – e misericórdia!... a fraca porém inconfundível luminosidade de tudo o que era de madeira ali dentro, os degraus, as paredes, as ripas e as vigas!

Então se ouviu um relinchar frenético do cavalo de Ammi lá fora, imediatamente seguido por um tropel que indicava uma fuga desesperada. No momento seguinte, o cavalo e a carroça estavam tão longe que não se ouvia mais nada, deixando o dono apavorado na escada escura a imaginar o que teria assustado o animal. Mas não era só isso. Houve outro som. Uma espécie de respingar líquido, de algo caindo na água, devia ter sido no poço. Ele deixara o Hero solto ao lado, e uma roda da carroça devia ter batido na cimalha e derrubado uma pedra. E ainda assim a fosforescência pálida brilhava naquela madeira odiosamente antiga. Deus! Como aquela casa era velha! Quase toda construída em 1670, e com o telhado do sótão acrescentado antes de 1730.

Então arranhões fracos no assoalho do térreo soaram distintamente, e Ammi apertou o porrete pesado que trouxera do sótão para o caso de alguma necessidade. Aos poucos ganhando fibra, ele terminou a descida da escada e caminhou ousadamente em direção à cozinha. Mas não completaria a caminhada, pois o que ele procurava já não estava mais lá. A criatura veio para cima dele e ainda estava viva após uma transformação. Se havia se arrastado ou sido arrastada por alguma força externa, Ammi não saberia dizer, mas a morte tinha estado nela. Tudo tinha acontecido na última meia hora, mas o colapso, o acinzentamento e a desintegração já estavam muito avançados. A fragilidade quebradiça da coisa era horrenda, e fragmentos secos estavam se descascando. Ammi não conseguiu tocá-la, mas olhou horrorizado para o arremedo distorcido do que tinha sido um rosto humano.

– O que era aquilo, Nahum? O que era? – sussurrou ele, e os lábios rachados e inchados só conseguiram balbuciar uma última resposta.

– Nada... nada... a cor... queima... fria e úmida... mas queima... estava vivendo no poço... eu vi... parecia de fumaça... como as flores na primavera passada... o poço estava brilhando à noite... o Thad e o Merwin e o Zenas... tudo vivo... sugando a vida de tudo... naquela pedra... deve ter vindo naquela pedra... envenenou o sítio inteiro... não sei o que quer... aquela coisa redonda que os homens da faculdade tiraram da pedra... eles esmagaram... tinha a mesma cor... igualzinha, como as flores e as plantas... deve ter mais daquilo... sementes... sementes... elas cresceram... eu vi essa semana pela primeira vez... deve ter pegado forte no Zenas... ele era um meninão, cheio de vida... ela te derruba pelos pensamentos e aí te pega e te... te queima... na água do poço... você estava certo... água maligna... o Zenas não voltou mais do poço... não sai mais... te puxa... você sabe que está vindo, mas não adianta... eu já vi várias vezes desde que o Zenas sumiu... cadê a Nabby, Ammi?... a minha cabeça não está muito boa... não lembro quando levei comida para ela da última vez... vai pegá-la se não tivermos cuidado... só uma cor... a cara dela está ficando com essa cor às vezes quando escurece... e ela queima e suga... veio de algum lugar onde as coisas não são iguais às daqui... um professor falou isso... ele tinha razão... olha, Ammi, toma cuidado, vai acontecer mais alguma coisa... vai sugar a vida...

Mas foi só isso. Aquele que falava não podia mais falar, pois definhara completamente. Ammi cobriu com uma toalha de mesa quadriculada vermelha e branca o que havia restado e saiu pela porta dos fundos em direção aos campos. Ele subiu a colina até o pasto de dez acres e voltou cambaleando para casa pela estrada norte e pela mata. Não passaria mais pelo poço do qual seu cavalo havia fugido. Olhou para o poço pela janela e viu que não estava faltando nenhuma pedra da borda da cimalha. Portanto a carroça não havia deslocado nenhuma pedra – o barulho da queda na água tinha sido de alguma outra coisa, algo que caiu na água depois de ter feito o que fez com o pobre Nahum...

Quando Ammi chegou em casa, o cavalo e a carroça tinham chegado antes e deixado a esposa com um ataque de ansiedade. Acalmando-a sem dar explicações, ele partiu logo para Arkham e notificou as autoridades sobre as mortes na família Gardner. Não deu detalhes, apenas contou das mortes de Nahum e Nabby, sendo que a morte de Thaddeus já era conhecida, e mencionou que a causa aparente era a mesma doença estranha que matara o gado e as galinhas. Ele também declarou que Merwin e Zenas haviam desaparecido. Houve uma série de perguntas na delegacia, e ao final do depoimento Ammi foi obrigado a levar três oficiais à propriedade dos Gardners, além do legista, o médico e o veterinário que havia tratado dos animais doentes. Ele foi muito a contragosto, pois a tarde estava avançada e ele temia ainda estar no maldito lugar depois que a noite caísse, embora fosse algum consolo a companhia de outras pessoas.

Os seis homens foram de charrete, atrás da carroça de Ammi, e chegaram à sede do sítio pestilento por volta das quatro horas da tarde. Mesmo acostumados a experiências hediondas, nenhum dos oficiais ficou impassível diante do que encontraram no sótão e embaixo da toalha quadriculada no chão da cozinha. O aspecto geral do sítio, com sua desolação cinzenta, era terrível o bastante, mas aqueles dois objetos esfacelados iam além de qualquer limite. Ninguém conseguiu olhar para aquilo, e mesmo o médico admitiu que pouco havia que examinar. Algumas amostras poderiam ser analisadas, evidentemente, de modo que ele tratou logo de obter algumas – e aqui se sabe de um desdobramento muito intrigante, ocorrido no laboratório da universidade, para onde os dois frascos de terra finalmente foram levados. No espectroscópio, ambas as amostras revelaram um espectro desconhecido, no qual muitas das estrias desconcertantes eram precisamente como aquelas que o estranho meteoro revelara no ano anterior. A propriedade que emitia esse espectro desapareceu depois de um mês, e a terra restante consistia sobretudo em fosfatos e carbonatos alcalinos.

Ammi não teria contado aos policiais sobre o poço se achasse que pretendiam fazer algo naquele exato momento. O sol logo ia se pôr, e ele estava aflito para ir embora. Mas não conseguiu evitar de olhar nervosamente para a cimalha do grande poço e, quando um detetive lhe perguntou, ele admitiu que Nahum estava com medo de que houvesse alguma coisa lá embaixo – tanto que nunca sequer tentou procurar Merwin e Zenas lá dentro. Depois disso, eles não sossegariam enquanto não esvaziassem e explorassem o poço, de modo que Ammi precisou esperar, trêmulo, balde após balde de água podre ser erguido e derramado no terreno encharcado ao redor do poço. Os policiais cheiraram com asco aquele fluido, e até o final mantiveram os narizes tampados contra o fedor que estavam revelando. Não foi um trabalho tão demorado quanto temiam que fosse, pois o nível da água era absurdamente baixo. Não há necessidade de dizer com precisão o que eles encontraram. Merwin e Zenas estavam ambos lá, em parte, embora os vestígios fossem basicamente seus esqueletos. Havia também um pequeno veado e um cachorro grande em estado semelhante, e uma série de ossos de animais menores. A gosma e a baba do fundo do poço pareciam inexplicavelmente porosas e borbulhantes, e um policial que desceu escalando a parede com uma vara comprida descobriu que podia afundá-la na lama do fundo o quanto quisesse sem encontrar nenhuma obstrução sólida.

O crepúsculo então começou, e foram trazidas lanternas da casa. Nesse momento, quando viram que não encontrariam mais nada no poço, todos voltaram para dentro da casa e discutiram na antiga sala enquanto a luz intermitente de uma meia-lua espectral brincava, pálida, sobre a desolação cinzenta da paisagem lá fora. Os homens ficaram francamente desconcertados com o caso como um todo e não conseguiram encontrar nenhum elemento comum convincente que associasse as condições da vegetação, a doença desconhecida do gado e das pessoas, e as mortes inexplicáveis de Merwin e Zenas no poço contaminado. Eles já tinham ouvido as histórias que o povo do interior contava, mas não poderiam acreditar que algo contrário às leis naturais tivesse ocorrido. Sem dúvida, o meteoro havia contaminado o solo, porém a doença das pessoas e dos animais que não haviam comido nada que crescera naquele terreno era algo totalmente diferente. Teria sido a água do poço? Muito possivelmente. Era uma boa ideia analisá-la. Mas que loucura estranha teria feito os dois meninos pularem no poço? Os atos eram tão similares – e os fragmentos indicavam que ambos haviam sofrido a mesma morte cinzenta e quebradiça. Por que estava tudo tão cinzento e quebradiço?

Foi o legista, sentado perto de uma janela que dava para o quintal, quem primeiro reparou no clarão em volta do poço. A noite se instalara por completo, e todo o terreno abjeto parecia ligeiramente luminoso, com uma intensidade maior que a dos raios espasmódicos do luar; mas aquele novo clarão era algo definido e distinto, e parecia emanar do poço negro como o facho atenuado de um holofote, conferindo reflexos difusos às pequenas poças do terreno onde a água fora despejada. Tinha uma coloração muito esquisita, e quando todos se aglomeraram junto à janela Ammi teve um violento sobressalto. Pois aquele estranho raio de miasma fantasmagórico era de um matiz familiar. Ele já tinha visto aquela cor antes e temia pensar no que isso podia significar. Vira aquela cor no asqueroso glóbulo quebradiço do aerólito de dois verões atrás, vira aquela cor na louca floração da primavera e pensara tê-la visto por um instante naquela mesma manhã pela pequena janela com barras daquele terrível quarto no sótão, onde coisas inominadas haviam acontecido. A cor lampejara ali por um segundo, e uma corrente de vapor viscosa e odiosa passara por ele – e então o pobre Nahum fora pego por uma parte daquela cor. Ele dissera isso enfim – que eram o glóbulo e as plantas. Depois disso, o cavalo fugiu em disparada no quintal e se ouviu a queda na água do poço – e agora o poço vomitava na noite um raio pálido e insidioso do mesmo tom demoníaco.

Deve-se à mente alerta de Ammi a perplexidade naquele momento tenso diante de um aspecto essencialmente científico.

Ele só podia se espantar ao captar a mesma impressão de um vapor visto de relance durante o dia, diante da janela aberta ao céu da manhã, e de uma exalação noturna vista como névoa fosforescente contra a paisagem negra e desolada. Aquilo não estava certo – era contrário à Natureza –, e ele se lembrou daquelas últimas palavras terríveis de seu amigo abatido: "Veio de algum lugar onde as coisas não são iguais às daqui… um professor falou isso…"

Os três cavalos do lado de fora, amarrados a duas árvores secas junto à estrada, agora relinchavam e escoiceavam freneticamente. O cocheiro foi correndo até a porta para fazer alguma coisa, mas Ammi pôs a mão trêmula em seu ombro.

– Não vá até lá – sussurrou ele. – Tem mais coisa que a gente não sabe. Nahum falou que tem uma coisa viva no poço que suga a vida de tudo. Ele falou que devia ser alguma coisa que cresceu de uma bola redonda parecida com a da pedra do meteoro que caiu aqui junho passado. Suga e queima, ele disse, e é só uma nuvem de cor como aquela luz lá agora, que mal dá para ver e mal dá para saber o que é. Nahum achava que essa coisa se alimenta de tudo que é vivo e vai ficando cada vez mais forte. Ele falou que viu essa coisa na semana passada. Deve ser alguma coisa que veio de longe, do céu, de onde os homens da universidade falaram ano passado que a pedra do meteoro veio. O jeito como a coisa é feita e o jeito como ela age não é de forma alguma coisa desse mundo de meu Deus. É alguma coisa que veio do além.

De modo que os homens fizeram uma pausa indecisa enquanto a luz do poço ia ficando cada vez mais forte e os cavalos atrelados escoiceavam e relinchavam em um frenesi cada vez maior. Foi realmente um momento assombroso, com o terror naquela casa antiga e amaldiçoada, com quatro conjuntos monstruosos de fragmentos – dois na casa e dois no poço – no barracão atrás, e com aquele raio de iridescência desconhecida e profana vindo das profundezas borbulhantes na frente.

Ammi havia detido o cocheiro por impulso, esquecendo-se de que ele mesmo havia passado incólume ao contato viscoso com aquele vapor colorido no quarto do sótão, mas talvez tenha sido bom que ele agisse assim. Ninguém jamais saberá o que aconteceu naquela noite; e, embora a blasfêmia do além não tivesse até então ferido ninguém que tivesse a mente sã, não há como dizer o que aquilo não teria feito naquele último momento, com sua força aparentemente aumentada e com os indícios especiais de um propósito que aquilo exibia sob o céu de nuvens iluminado pela lua.

De repente um dos detetives à janela suspirou, breve, rispidamente. Os outros olharam para ele, e então logo acompanharam seu olhar para o alto, até o ponto em que sua atenção subitamente se detivera. Não havia necessidade de palavras. O que havia sido duvidoso na bisbilhotice provinciana já não era mais duvidoso, e foi por causa de algo que todos os homens daquele grupo concordaram aos sussurros mais tarde que aqueles dias estranhos nunca são mencionados em Arkham. É necessário enfatizar que não havia vento naquela hora da noite. Começou a ventar não muito tempo depois, mas não havia absolutamente vento nenhum naquela hora. Mesmo as pontas secas dos rinchões, cinzentos e fanados, e a franja do toldo da charrete estavam imóveis. E no entanto, em meio àquela calma tensa, profana, os galhos nus mais altos de todas as árvores do quintal estavam se mexendo. Retorciam-se mórbida e espasmodicamente, agarrando em uma loucura convulsiva e epiléptica as nuvens enluaradas; arranhando impotentes o ar fétido, como que sacudidos por cordéis alienígenas e incorpóreos, ligados a horrores subterrâneos que se agitavam e estremeciam junto às raízes negras.

Ninguém respirou por diversos segundos. Então uma nuvem mais profundamente escura passou sobre a lua, e a silhueta dos galhos como garras sumiu por um momento. Nesse instante, ouviu-se uma gritaria geral, sufocada de espanto, mas rouca e quase idêntica, vinda de todas as gargantas. Pois o terror não sumira com a silhueta, e em um instante medonho de treva mais profunda os observadores viram, retorcendo-se na altura do topo da árvore, mil pontos minúsculos de radiância tênue e profana, fazendo pender cada ramo como o fogo-fátuo ou as labaredas que saíam da cabeça dos apóstolos no Pentecostes. Era uma constelação monstruosa de luz não natural, como um enxame de pirilampos devoradores de cadáveres dançando sarabandas infernais sobre um charco maldito; e sua cor era a mesma intrusão inominada que Ammi conseguira identificar e temer. Durante todo esse tempo o facho de fosforescência do poço foi ficando cada vez mais e mais brilhante, trazendo à mente dos homens aglomerados uma sensação de fatalidade e anormalidade que superava em muito qualquer imagem que suas consciências conseguiriam formar. Já não se tratava de um *brilho*, mas de um *vazamento*; e, conforme o fluxo informe de cor inclassificável saía do poço, parecia afluir diretamente para o céu.

O veterinário estremeceu e foi até a porta da frente para erguer a pesada barra atravessada que a travava. Ammi também estremeceu e precisou se segurar e apontar, na falta de uma voz sob controle, quando quis chamar atenção para a crescente luminosidade das árvores. Os relinchos e coices dos cavalos refletiam um pavor total, mas ninguém daquele grupo reunido na casa velha teria se arriscado por nenhuma recompensa terrestre. Com o passar dos momentos, o brilho das árvores aumentou, enquanto os ramos incansáveis pareciam se esforçar mais e mais verticalmente. A madeira da picota do poço agora estava cintilando, e então um policial apontou espantado para alguns barracões de madeira e colmeias perto do muro de pedras a oeste. Estavam começando a cintilar também, embora os veículos amarrados das visitas até aquele momento parecessem imunes. Então houve uma feroz comoção e um tropel na estrada, e, quando Ammi apagou o lampião para enxergar melhor, eles perceberam que a parelha de tordilhos frenéticos se soltou da árvore e fugiu com a charrete.

O choque serviu para soltar diversas línguas, e sussurros constrangidos foram trocados.

– A coisa está espalhada em tudo que é orgânico que há por aqui – murmurou o médico.

Ninguém respondeu, mas o homem que estivera no poço comentou que sua vara comprida deve ter mexido em algo desconhecido.

– Foi horrível – acrescentou. – Não tinha fundo. Só gosma, bolhas e a sensação de alguma coisa espreitando lá embaixo.

O cavalo de Ammi ainda escoiceava e relinchava ensurdecedoramente na estrada lá fora, e quase abafava a voz fraca de seu dono que murmurava suas reflexões amorfas.

– Veio daquela pedra... cresceu lá embaixo... pega tudo o que é vivo... se alimenta de tudo, mente e corpo... Thad e Merwin, Zenas e Nabby... Nahum foi o último... todos beberam a água... pegou forte neles... veio do além, onde as coisas não são iguais aqui... agora está voltando para casa...

Nesse ponto, enquanto a coluna da cor desconhecida bruxuleava subitamente mais forte e começava a se agitar em fantásticas sugestões de forma, que cada espectador mais tarde descreveria de uma maneira diferente, veio do pobre Hero amarrado um som que nenhum homem jamais ouviu, antes ou depois, de um cavalo. Todas as pessoas naquela sala baixa tamparam os ouvidos, e Ammi se virou da janela com horror e náusea. As palavras não poderiam transmiti-lo – quando Ammi tornou a olhar, o animal indefeso jazia inerte no chão à luz da lua entre destroços e lascas da carroça. Foi a última notícia de Hero, até que o enterraram no dia seguinte. Mas não havia tempo para o luto, pois quase no mesmo instante um detetive discretamente chamou atenção para algo terrível na mesma sala onde estavam. Na ausência da luz do lampião, ficou nítido que a fosforescência difusa começara a impregnar todo o ambiente. A cor reluzia no assoalho de tábuas largas e no tapete de retalhos, e cintilava sobre os batentes das pequenas janelas. Percorria de cima a baixo as colunas, fulgurava na prateleira e no dossel, e infectava até as portas e a mobília. A cada minuto, a cor se intensificava, até que enfim ficou muito claro que toda criatura viva e saudável devia deixar aquela casa.

Ammi mostrou-lhe a porta dos fundos e o caminho pelos campos até o lote de dez acres. Eles foram andando e cambaleando, como em um sonho, e não ousaram olhar para trás até que estivessem bem longe e em terreno mais elevado. Ficaram gratos pelo trajeto, pois não teriam coragem de sair pela frente e passar por aquele poço. Já foi ruim o suficiente passar pelo celeiro e pelos barracões reluzentes, e aquelas árvores cintilantes com seus contornos retorcidos e demoníacos, mas graças a Deus os galhos só se retorciam no alto das copas. A lua passou por trás de nuvens muito negras quando eles atravessavam a ponte rústica sobre o córrego Chapman, e seguiram às escuras, tateando seu caminho de lá até as várzeas abertas.

Ao olharem na direção do vale e do sítio de Gardner ao longe, lá embaixo, tiveram uma visão apavorante. O sítio inteiro estava brilhando com aquela mescla hedionda de tonalidades desconhecidas; árvores, construções, e até mesmo o capim e a grama que ainda não haviam se tornado inteiramente quebradiços e cinzentos. Os galhos todos se estendiam para o céu, salpicados de línguas de fogo-fátuo, e gotas respingantes do mesmo fogo monstruoso se arrastavam pelas cumeeiras da casa, do celeiro e dos barracões. Era um cenário de uma visão de Fuseli, e sobre todo o resto reinava aquele alvoroço de luminosidade amorfa, aquele arco-íris alienígena unidimensional de veneno ignoto vindo do poço – fervilhando, sentindo, envolvendo, alcançando, cintilando, forçando e malignamente borbulhando em seu cromatismo cósmico e irreconhecível.

Então, sem aviso, a coisa hedionda disparou verticalmente em direção ao céu como um foguete ou um meteoro, sem deixar rastro, e desapareceu por um buraco redondo e curiosamente regular nas nuvens antes que qualquer um ali pudesse suspirar ou gritar. Nenhum observador jamais conseguirá esquecer essa visão, e Ammi contemplou entorpecido Deneb, do Cisne, piscando acima das outras estrelas, onde a cor desconhecida se derreteu em meio à Via Láctea. Mas no momento seguinte seu olhar foi logo chamado de volta à terra por uma crepitação no vale. Era exatamente isso. Apenas estalidos e crepitações da madeira, e não uma explosão, como muitos outros do grupo afirmaram. No entanto, o resultado foi o mesmo, pois em um instante febril e caleidoscópico irrompeu do sítio condenado e maldito um cataclisma luminosamente eruptivo de fagulhas e substâncias não naturais, ofuscando a visão dos poucos que observavam e enviando ao zênite uma nuvem explosiva de fragmentos coloridos e fantásticos, cuja natureza nosso universo só pode renegar. Através de vapores fugazes, esses fragmentos acompanharam a grande doença que havia sumido, e no segundo seguinte também eles sumiram. Atrás e abaixo, havia só a escuridão, à qual os homens não ousaram voltar, e por toda a volta um vento cada vez mais forte parecia soprar em lufadas negras e gélidas do espaço entre as estrelas. O vento berrava e uivava, e castigava os campos e os bosques distorcidos em um louco frenesi cósmico, até que o grupo trêmulo se deu conta de que não adiantaria esperar a lua para mostrar o que restava ali no sítio de Nahum.

Espantados demais até para aventar teorias, os sete homens trêmulos marcharam de volta para Arkham pela estrada do norte. Ammi estava pior que seus colegas e implorou que o acompanhassem até sua própria cozinha, em vez de seguirem direto para a cidade. Ele não queria atravessar a mata agitada pelo vento à noite, sozinho, até sua casa na estrada principal. Pois ele havia sofrido um choque a mais, de que os outros foram poupados, e se sentiria para sempre esmagado por um medo cismado, que não ousaria sequer mencionar por muitos anos depois. Enquanto os outros observadores naquela colina tempestuosa ficaram impassíveis olhando para a frente na estrada, Ammi se voltara por um instante para o sombrio vale da desolação que até recentemente abrigava seu malfadado amigo. E daquele local atormentado e ermo ele vira uma forma difusa se erguer, para em seguida mergulhar outra vez sobre o lugar de onde o grande horror informe havia se lançado ao céu. Era apenas uma cor – mas não uma cor da nossa terra ou do nosso céu. E, porque Ammi reconhecera aquela cor e sabia que aquele último resquício tênue devia espreitar ainda lá dentro do poço, ele nunca mais voltou a ser o mesmo.

Ammi jamais chegaria perto daquele lugar outra vez. Já se passou meio século desde que o horror aconteceu, mas ele nunca mais esteve ali, e ficará contente quando o novo reservatório cobrir tudo aquilo. Também eu ficarei contente, pois não me agrada o modo como a luz do sol muda de cor perto da boca daquele poço abandonado por onde passei. Espero que a água ali seja sempre muito profunda – mas, mesmo assim, dela não beberei jamais. Não creio tampouco que voltarei a visitar o interior de Arkham. Três dos homens que lá estiveram com Ammi voltaram na manhã seguinte para ver as ruínas à luz do dia, mas não havia, na verdade, nenhuma ruína. Apenas os tijolos da chaminé, as pedras do porão, alguns destroços minerais e metálicos aqui e ali, e a borda do poço nefando. Com exceção do cavalo morto de Ammi, que eles arrastaram e enterraram, e a carroça que logo depois lhe devolveram, tudo o que tinha vivido ali desaparecera. Permaneceram cinco acres de um macabro deserto cinza e poeirento, e nada mais voltou a crescer por lá desde então. Até hoje o terreno em meio à mata e aos campos se espraia, aberto ao céu, como uma grande clareira devorada por ácido, e os poucos que ousaram, apesar das histórias do povo da roça, olhar de relance para lá chamam o lugar de “charneca maldita”.

As histórias do povo da roça são estranhas. Poderiam ser ainda mais estranhas se homens da cidade e químicos acadêmicos se interessassem por elas a ponto de analisar a água daquele poço abandonado, ou a poeira cinzenta que vento nenhum dispersa. Botânicos também deveriam estudar a flora atrofiada nas bordas daquele local, pois poderiam lançar alguma luz sobre a ideia do povo da região de que a doença está se espalhando – pouco a pouco, talvez três centímetros a cada ano. As pessoas dizem que a cor da vegetação da região não é muito normal na primavera e que criaturas selvagens deixam pegadas estranhas na pouca neve do inverno. A neve nunca parece tão densa na charneca maldita como em outros lugares. Os cavalos – os poucos que restam nesta era do motor – ficam assustadiços naquele vale silencioso; e os caçadores não podem contar com seus cães perto daquela mancha de poeira cinzenta.

Dizem também que a influência mental da doença é muito forte. Muitos ficaram estranhos nos anos que se seguiram ao fim de Nahum, e sempre lhes faltou força para ir embora. Então os mais sensatos deixaram a região, e apenas os forasteiros tentaram viver nas velhas casas decadentes. No entanto, nem eles conseguiram ficar; e as pessoas se perguntam às vezes que intuição além da nossa lhes teria vindo daquelas histórias loucas e bizarras de feitiços sussurrados. Os sonhos à noite, dizem, são muito horríveis naquela região grotesca; e certamente a mera visão da escuridão dali basta para despertar mórbidas fantasias. Nenhum viajante deixou de notar uma sensação de estranheza naquelas ravinas profundas, e os artistas estremecem ao pintar aquelas matas densas, cujo mistério é tanto do espírito quanto do olho. Eu mesmo fiquei curioso com a sensação que tive durante a única caminhada que fiz sozinho por lá antes de Ammi me contar sua história. Quando chegou o crepúsculo, vagamente desejei que houvesse mais nuvens, pois uma estranha timidez diante do profundo vazio do céu sobre mim se insinuou na minha alma.

Não peça minha opinião. Eu não sei – isso é tudo. Não havia ninguém além de Ammi para questionar, pois o povo de Arkham não fala sobre aqueles dias estranhos, e os três professores que viram o aerólito e seu glóbulo colorido estão mortos. Havia outros glóbulos – tenha certeza disso. Um glóbulo deve ter se alimentado e escapado, e provavelmente havia outro glóbulo que demorou demais. Sem dúvida, este ainda está lá no poço – sei que havia algo errado com a luz do sol que vi acima daquela falha miasmática. O povo da roça diz que a doença avança três centímetros por ano, de modo que talvez ela esteja em fase de crescimento ou de alimentação mesmo agora. Mas, seja qual for o demônio procriando ali, deve ser detido ou rapidamente se espalhará. Estará amarrado às raízes daquelas árvores que agarram o ar? Uma das histórias de Arkham é sobre carvalhos inchados que brilham e se mexem como não deviam à noite.

O que é, só Deus sabe. Em termos materiais, suponho que a criatura que Ammi descreveu seria considerada um gás, porém esse gás obedecia a leis que não são do nosso cosmo. Não era um fruto destes mundos e destes sóis que aparecem nos telescópios e nas chapas fotográficas dos nossos observatórios. Não era um sopro dos céus cujos movimentos e dimensões nossos astrônomos medem ou consideram vastos demais para medir. Era só uma cor vinda do espaço – pavorosa mensageira de domínios informes do infinito além de toda a Natureza que conhecemos, domínios cuja mera existência espanta o cérebro e nos entorpece com os negros golfos extracósmicos que se escancaram diante de nossos olhos frenéticos.

Duvido muito que Ammi tenha mentido conscientemente para mim, e não creio que sua história tenha sido apenas um acesso de loucura, como diz o povo da região. Algo terrível veio até as colinas e vales naquele meteoro, e algo terrível – embora eu não saiba em que proporção – continua lá. Ficarei contente quando vier a água. Enquanto isso, espero que nada aconteça a

Ammi. Ele viu muito aquela coisa – e a influência era muito insidiosa. Por que nunca conseguiu ir embora? Ele se lembrava com distinta clareza das últimas palavras de Nahum – "não sai mais... te puxa... você sabe que está vindo, mas não adianta..." Ammi é um homem muito bom – quando a equipe do reservatório começar o trabalho, vou escrever para o engenheiro encarregado ficar de olho nele. Eu odiaria pensar nele convertido naquela monstruosidade cinzenta, distorcida e quebradiça, que insiste cada vez mais em perturbar meu sono.

HISTÓRIA DO NECRONOMICON

Título original: *Al Azif* – sendo *azif* a palavra usada pelos árabes para designar o som noturno (feito por insetos) que supostamente seriam uivos de demônios.

Composto por Abdul Alhazred, um poeta louco de Saná, no Iêmen, que dizem ter florescido durante o período do califado omíada, por volta de 700 d.C. Ele visitou as ruínas da Babilônia e os segredos subterrâneos de Mênfis e passou dez anos sozinho no grande deserto do sul da Arábia – o Rub' al-Khali ou "A quarta parte vazia" dos antigos – e no deserto de "Dana" ou "Carmesim", dos árabes modernos, que se acredita ser povoado por espíritos protetores malignos e monstros da morte. Sobre esse deserto, muitos portentos estranhos e inacreditáveis são relatados por aqueles que alegam havê-lo penetrado. Em seus últimos anos de vida, Alhazred viveu em Damasco, onde o *Necronomicon* (*Al Azif*) foi escrito, e sobre sua morte definitiva ou seu desaparecimento (738 d.C.) muitas coisas terríveis e conflitantes são contadas. Segundo Ibne Calicane (biógrafo do séc. XII), ele teria sido capturado por um monstro invisível em plena luz do dia e devorado horrivelmente diante de um grande número de testemunhas congeladas pelo pavor. Sobre sua loucura, contam-se muitas coisas. Ele alegava ter visto a fabulosa Irem, ou Cidade dos Pilares, e ter encontrado entre as ruínas de certa cidade sem nome no deserto os chocantes anais e segredos de uma raça mais antiga que a humanidade. Como muçulmano, foi indiferente, adorando entidades desconhecidas que ele chamava de Yog-Sothoth e Cthulhu.

Em 950 d.C., o *Azif*, que ganhara considerável embora sub-reptícia circulação entre os filósofos do período, foi secretamente traduzido para o grego por Theodorus Philetas de Constantinopla sob o título *Necronomicon*. Durante um século, o livro estimulou certos leitores a feitos terríveis, até ser proibido e queimado pelo patriarca Miguel. Depois disso, só existem menções furtivas à obra, mas (1228) Olaus Wormius fez uma tradução para o latim, no final da Idade Média, e o texto latino foi impresso duas vezes – uma no século XV em letras góticas (evidentemente na Alemanha) e uma no XVII (provavelmente na Espanha) –, ambas as edições sem qualquer identificação, e localizadas no tempo e no espaço apenas por evidências tipográficas do interior do livro. A obra tanto em latim quanto em grego foi banida pelo papa Gregório IX em 1232, pouco depois da tradução latina, que chamou atenção para ela. O original árabe se perdeu ainda na época de Wormius, conforme indicado por seu prefácio (existe um rumor sobre a aparição, no século atual, de um exemplar secreto em São Francisco, que mais tarde pegou fogo); e nenhuma aparição do exemplar grego – impresso na Itália entre 1500 e 1550 – foi relatada desde o incêndio da biblioteca de certo homem de Salem em 1692. A tradução para o inglês feita pelo dr. Dee nunca foi publicada, e existe apenas em fragmentos recuperados de seu manuscrito. Sobre os textos latinos atualmente existentes, sabe-se que um (séc. XV) se encontra no British Museum, trancado a sete chaves, enquanto outro (séc. XVII) está na Bibliothèque Nationale de Paris. Exemplares da edição do século XVII se encontram na Widener Library, em Harvard, e na biblioteca da Universidade Miskatonic, em Arkham; e também na biblioteca da Universidade de Buenos Aires. Provavelmente existem diversos exemplares guardados em segredo, e há rumores persistentes de que um exemplar da edição do século XV faz parte da coleção de um celebrado milionário americano. Boatos ainda mais vagos atribuem a conservação de um exemplar do texto grego do século XVI à família Pickman de Salem, mas, se esse exemplar vinha sendo conservado, deve ter perecido com o artista R.U. Pickman, que desapareceu no início de 1926. O livro é rigorosamente proibido pelas autoridades da maioria dos países, e por todos os braços das organizações eclesiásticas. Sua leitura leva a terríveis consequências. Dizem que foram os rumores sobre esse livro (que relativamente poucas pessoas do público em geral conhecem) que levaram R.W. Chambers a ter a ideia de seu primeiro romance, *O rei de amarelo*.

CRONOLOGIA

Al Azif escrito por volta de 730 d.C. em Damasco por Abdul Alhazred

Trad. para o grego em 950 d.C. como *Necronomicon* por Theodorus Philetas

Queimado pelo patriarca Miguel em 1050 (o texto grego). O texto árabe se perdeu.

Olaus traduz do grego para o latim em 1228

1232, edição latina (e grega) proibida pelo papa Gregório IX

14... edição em letras góticas (Alemanha)

15... texto grego impresso na Itália

16... reimpressão do texto latino na Espanha

O HORROR DE DUNWICH

"Górgonas e Hidras e Quimeras – tremendas histórias de Celeno e as Harpias – podem se reproduzir no cérebro supersticioso – mas existiram um dia. *São transcrições, tipos – os arquétipos existem dentro de nós e são eternos. De que outro modo a repetição de algo que sabemos em sã consciência ser falso poderia nos afetar? Será que naturalmente concebemos o terror diante desses objetos, considerados em sua capacidade de nos infligir danos corporais? Ora, isso é o de menos!* Esses terrores são muito anteriores. Datam de além do corpo – *ou sem o corpo teriam existência da mesma forma... Que o tipo de medo de que aqui se trata seja puramente espiritual – que seja proporcionalmente mais forte conforme tenha menos objetividade na terra, que predomine no período de nossa infância sem pecado – é uma dificuldade cuja solução pode fornecer intuições plausíveis sobre nossa condição anterior ao mundo e ao menos um olhar dentro do terreno das sombras da preexistência."*

– CHARLES LAMB, *"Witches and Other Night-Fears"*
[Bruxas e outros temores noturnos]

I

Quando um viajante no centro-norte de Massachusetts pega a saída errada na bifurcação de Aylesbury pouco depois de Dean's Corners, ele chega a uma região erma e curiosa. O terreno fica mais alto, e as paredes dos rochedos cobertos de espinheiros se estreitam cada vez mais contra os sulcos da estrada poeirenta e sinuosa. As árvores dos muitos cinturões de florestas parecem grandes demais, e as ervas silvestres, amoreiras e capins atingem uma exuberância não muitas vezes encontrada em regiões ocupadas. Ao mesmo tempo, os campos plantados parecem especialmente raros e desertos; enquanto as poucas casas espalhadas têm um aspecto surpreendentemente uniforme de velhice, sordidez e dilapidação.

Sem saber por quê, o viajante hesita em pedir orientação das figuras distorcidas, solitárias, avistadas de quando em quando nos degraus tortos ou nos campos da encosta salpicados de rochas. São figuras tão caladas e furtivas que ele se sente de certa forma confrontado com coisas proibidas, com as quais seria melhor não ter nenhuma relação. Quando um aclive na estrada revela as montanhas, vistas acima dos densos bosques, a sensação de inquietude é intensificada. Os cumes são arredondados e simétricos demais para transmitirem qualquer conforto ou naturalidade, e às vezes o céu faz com peculiar claridade as silhuetas dos bizarros círculos de pilares altos de rocha com os quais a maioria dos cumes é coroada.

Gargantas e ravinas de profundeza problemática interceptam o caminho, e as pontes de madeira rústica sempre parecem de segurança duvidosa. Quando a estrada volta a descer, há trechos de charco instintivamente desagradáveis e, na verdade, quase apavorantes ao anoitecer, quando bacuraus invisíveis tagarelam e vaga-lumes aparecem em profusão anormal para dançar ao ritmo áspero, rastejantemente obstinado e flauteado das rãs esganiçadas. A linha tênue e luzidia do alto das Miskatonics possui uma sugestão estranhamente serpenteante em seus volteios no sopé das encostas abauladas de onde se erguem.

Conforme a serra se aproxima, presta-se mais atenção aos bosques das margens que à rocha dos cumes coroados. Essas encostas se erguem tão sombria e bruscamente que se deseja mantê-las a distância, mas não há outro caminho por onde evitá-las. Atravessando-se uma ponte coberta, vê-se um pequeno vilarejo escondido entre o riacho e a vertente íngreme da Round Mountain, e vislumbra-se o grupo de telhados em gambrel a indicar um período arquitetônico anterior ao da região vizinha. Não é nada reconfortante verificar, ao nos aproximarmos, que quase todas as casas estão desertas e depredadas, e que a igreja de torreão arruinado hoje abriga o único e decadente estabelecimento comercial do povoado. Receia-se atravessar o tenebroso túnel da ponte, no entanto não há desvio possível a partir dele. Uma vez atravessado, é difícil evitar a impressão de um discreto odor maligno na rua, como um acúmulo de bolor e podridão de séculos. É sempre um alívio se afastar dali, seguir pela estrada estreita, contornando a base das encostas, atravessar o terreno plano e ir mais adiante até onde se reencontra a bifurcação de Aylesbury. Depois, às vezes, o viajante descobre que acabou de passar por Dunwich.

Os forasteiros visitam Dunwich tão raramente quanto possível, e desde certa temporada de horror todas as sinalizações que apontavam para lá foram removidas. O cenário, julgado por qualquer cânone estético genérico, é de uma beleza maior do que o comum; no entanto, não há nenhum influxo de artistas ou turistas de veraneio. Dois séculos atrás, quando as histórias de sangue de bruxa, adoração satânica e estranhas aparições nas florestas não eram ridicularizadas, o costume era ter motivos para evitar aquele lugar. Em nossa era da sensatez – desde que o horror de Dunwich de 1928 foi silenciado por aqueles que almejavam no fundo o bem da cidade e do mundo –, as pessoas o evitam sem saber exatamente por quê. Talvez um dos motivos – embora não se possa aplicar a forasteiros desinformados – seja que os nativos hoje em dia se encontram em um estado repulsivo de decadência, tendo ido longe demais no caminho do retrocesso, algo comum em muitos vilarejos atrasados da Nova Inglaterra. Eles passaram a constituir uma raça entre si, com estigmas mentais e físicos bem definidos de degeneração e endogamia. A média de sua inteligência é dolorosamente baixa, e nos anais de sua história registram-se pestilentas maldades, assassinatos, incestos mal acobertados e feitos das mais inomináveis violência e perversidade.

A velha aristocracia, representada pelas duas ou três belicosas famílias vindas de Salem em 1692, manteve-se um pouco acima do nível geral de decadência, apesar de muitos ramos terem mergulhado no sórdido populacho tão profundamente que apenas seus nomes permanecem como uma chave para a origem que eles desgraçaram. Alguns Whateleys e Bishops ainda enviam os filhos mais velhos para Harvard e Miskatonic, embora estes raramente voltem para os gambréis mofados em que eles e seus ancestrais nasceram.

Ninguém, nem mesmo aqueles que conhecem os fatos relativos ao horror recente, sabe dizer o que há de errado em Dunwich, ainda que velhas lendas falem de ritos profanos e conclaves dos povos indígenas, em que eles invocavam formas proibidas de sombras naquelas serras arredondadas e faziam orações orgíacas e selvagens, que eram respondidas com altos estrondos e tremores de terra. Em 1747, o reverendo Abijah Hoadley, recém-chegado à Igreja Congregacional da Aldeia de Dunwich, fez um memorável sermão sobre a presença próxima de Satanás e seus demônios, em que ele disse:

Deve ser admitido que essas Blasfêmias de um infernal Trem de Demônios são Assuntos de Conhecimento comum demais para serem negadas; as Vozes malditas de Azazel e Buzrael, de Belzebu e Belial, tendo sido ouvidas debaixo da Terra por mais de uma Vintena de confiáveis Testemunhas vivas até hoje. Eu mesmo não faz nem uma Quinzena ouvi um claro Discurso das Forças malignas na Vertente atrás da minha Casa, no qual havia Chocalhos e Pancadas, Gemidos, Gritos e Cicios, tal como nenhuma Criatura desta Terra seria capaz de fazer, e que deve ter vindo daquelas Cavernas que só a Magia negra é capaz de descobrir, e só o Dito-Cujo destrancar.

O sr. Hoadley desapareceu pouco depois de fazer esse sermão, mas o texto, impresso em Springfield, ainda existe. Sons naquelas encostas continuaram sendo relatados, ano após ano, e ainda constituem um enigma para geólogos e fisiógrafos.

Outras tradições falam em odores fétidos perto dos círculos de pilares de pedra no cume dos montes, e de velozes presenças aéreas ouvidas em determinadas horas, vindas de determinados pontos no fundo das grandes ravinas; enquanto outros tentam explicar a existência do Salto do Diabo – um trecho desolado da encosta onde nenhuma árvore, arbusto ou folha de relva cresce.

Também os nativos morrem de medo dos inúmeros bacuraus que começam seu vocal nas noites quentes. Juram que essas aves são psicopompos à espreita das almas dos moribundos, e que sincronizam seus gritos macabros em uníssono com a respiração pesada dos sofredores. Se conseguem capturar a alma que se esvai ao deixar o corpo, instantaneamente vão embora voando com sua gargalhada demoníaca; mas, se não conseguem, retornam aos poucos a um silêncio desapontado.

Essas histórias, é claro, são obsoletas e ridículas, porque descendem de tempos muito antigos. Dunwich é de fato ridiculamente antiga – muito mais antiga do que qualquer outra comunidade em um raio de cinquenta quilômetros. Ao sul da vila, pode-se ainda ver as paredes do porão e a lareira da antiga residência dos Bishops, construída antes de 1700, enquanto as ruínas do moinho na cascata, construído em 1806, formam a peça mais moderna de arquitetura que se avista. A indústria não floresceu aqui, e o movimento fabril do século XIX teve vida curta. De tudo os mais aintigos são os grandes círculos de colunas de pedras rústicas no alto das colinas, mas esses geralmente são atribuídos antes aos povos indígenas do que aos colonos. Depósitos de caveiras e ossos, encontrados dentro desses círculos e em volta da grande rocha plana em forma de mesa em Sentinel

Hill, sustentam a crença popular de que esses locais foram outrora túmulos dos pocumtucks; mesmo assim, muitos etnólogos, desconsiderando a absurda improbabilidade de tal teoria, persistem acreditando serem resquícios caucasianos.

II

Foi no município de Dunwich, em uma casa grande de fazenda parcialmente habitada, construída junto à encosta, a seis quilômetros da cidade e a mais de dois quilômetros de qualquer outra construção, que Wilbur Whateley nasceu, às cinco horas da manhã de um domingo, o segundo de fevereiro de 1913. A data ficou marcada por ser Candelária, que o povo de Dunwich curiosamente comemorava sob outro nome – e porque os ruídos nas encostas haviam começado, e todos os cães da região latiram sem parar, ao longo da noite. Menos digno de nota foi o fato de a mãe ser uma Whateley decadente, albina, um tanto deformada, pouco atraente, de 35 anos, que vivia com um pai idoso e um tanto insano, sobre quem se sussurravam as mais apavorantes histórias de feitiçaria durante a juventude. Lavinia Whateley não tinha marido que se soubesse, mas, seguindo o costume da região, não fez nenhuma tentativa de rejeitar a criança; em relação ao outro lado da ancestralidade, o povo da região podia – como de fato o fez – especular o quanto quisesse. Pelo contrário, ela parecia estranhamente orgulhosa do menino moreno, hircino, que formava tamanho contraste com seu albinismo doentio e de olhos rosados, e foi ouvida a murmurar curiosas profecias sobre seus poderes incomuns e seu tremendo futuro.

Lavinia era alguém capaz de murmurar essas coisas, pois era uma criatura solitária, dada a devaneios em meio a tempestades nas montanhas e a tentar ler grandes livros bolorentos que o pai herdara ao longo de dois séculos de Whateleys, e que rapidamente caíam aos pedaços de tão velhos e tantos furos de traças. Ela jamais frequentou escola, mas foi cevada com trechos desconexos de lendas antigas que o velho Whateley lhe ensinara. A erma casa de fazenda sempre fora temida devido à fama do velho Whateley de praticar magia negra, e a inexplicável e violenta morte da sra. Whateley quando Lavinia tinha doze anos não ajudara a tornar o local popular. Isolada entre influências estranhas, Lavinia pegou gosto pelos devaneios selvagens e grandiosos e por ocupações singulares; e seu tempo livre não era muito subtraído por cuidados com uma casa cujos padrões de ordem e limpeza haviam desaparecido muito tempo antes.

Ouviu-se um grito hediondo, que ecoou acima dos ruídos das encostas e dos latidos dos cachorros, na noite em que Wilbur nasceu, mas nenhum médico ou parteira esteve presente em seu parto. Os vizinhos só ficaram sabendo uma semana depois, quando o velho Whateley foi de trenó, através da neve, até a vila de Dunwich e fez um discurso incoerente a um grupo de fregueses no armazém do Osborn. Parecia ter havido uma transformação no velho – um novo elemento de furtividade em seu cérebro nebuloso, que sutilmente o transformou de um objeto assustador em um sujeito assustado –, embora ele não se demonstrasse perturbado pelo acontecimento familiar comum. Em meio àquilo tudo, exibiu sinais do mesmo orgulho observado na filha, e o que ele disse sobre a paternidade do menino seria lembrado por muitos ali presentes nos anos seguintes.

– Não me importa o que o povo ache. Se o filho da Lavinia parecesse com o pai, não seria nada do que vocês esperam. Não pensem que só tem a gente daqui. Lavinia leu muito, e viu coisas que a maioria de vocês só ouviu falar. Acho que o marido dela é tão bom quanto qualquer outro desse lado de Aylesbury, e, se vocês conhecessem essas serras como eu conheço, não iam querer casar mais na igreja daqui e nem em nenhuma outra. Deixe eu lhes dizer uma coisa: *um dia desses vocês vão ouvir o filho da Lavinia chamando o nome do pai no alto de Sentinel Hill!*

As únicas pessoas que viram Wilbur durante o seu primeiro mês de vida foram o velho Zechariah Whateley, do ramo dos Whateleys não decadentes, e a segunda esposa de Earl Sawyer, Mamie Bishop. A visita de Mamie foi por franca curiosidade, e as histórias que ela contou depois fizeram justiça a suas observações; mas Zechariah veio trazendo duas vacas Alderney que o velho Whateley comprara de seu filho Curtis. Isso marcou o início de uma série de compras de gado da parte da família do pequeno Wilbur que só se encerraria em 1928, quando o horror de Dunwich começou e passou. No entanto, durante todo esse tempo, nunca o velho celeiro dos Whateleys ficou cheio de gado.

Houve um momento em que as pessoas ficaram curiosas a ponto de invadirem a propriedade para contar as cabeças de gado que pastavam precariamente na encosta íngreme acima da velha casa de fazenda, e nunca conseguiram contar mais de dez ou doze espécimes anêmicos, de aparência exangue. Evidentemente alguma peste ou brucelose, talvez oriunda da pastagem estragada ou dos fungos e madeiras podres do celeiro asqueroso, causara uma alta mortalidade no gado dos Whateleys. Estranhas feridas ou úlceras, algumas com o aspecto de incisões, pareciam afligir a criação; e uma ou duas vezes nos primeiros meses certos visitantes imaginaram distinguir úlceras semelhantes nos pescoços do velho grisalho e barbudo e de sua desmazelada filha albina de cabelos crespos.

Na primavera seguinte ao nascimento de Wilbur, Lavinia retomou suas perambulações costumeiras pelas montanhas, levando em seus braços desproporcionais o menino moreno. O interesse público pelos Whateleys diminuiu depois que a maioria das pessoas da região viu o bebê, e ninguém se deu ao trabalho de comentar sobre o rápido desenvolvimento que o recém-chegado parecia exibir a cada dia. O crescimento de Wilbur era de fato fenomenal, pois com três meses ele atingira o tamanho e a força muscular geralmente encontrados em meninos de um ano completo. Seus movimentos e até os sons vocais mostravam um controle e uma decisão altamente peculiares em bebês, e ninguém de fato se surpreendeu quando, aos sete meses, ele começou a andar sozinho, com alguns tropeços que no mês seguinte já não ocorriam mais.

Foi pouco depois disso – no Dia das Bruxas – que um grande clarão foi visto à meia-noite no alto de Sentinel Hill, onde a velha rocha plana em formato de mesa se destaca em meio aos túmulos de ossos antigos. Muitas intrigas começaram quando Silas Bishop – do ramo não decadente dos Bishops – mencionou ter visto o menino subir correndo pesadamente a encosta na frente da mãe, cerca de uma hora antes do clarão ter sido notado. Silas estava cercando uma novilha desgarrada, mas quase esqueceu sua tarefa ao ver de relance as duas figuras na penumbra de sua lanterna. Eles passaram às pressas sem fazer ruído pela mata, e o perplexo observador diria que pareciam completamente sem roupas. Em seguida, ele não teve mais certeza sobre o menino, que podia estar usando uma espécie de cinto franjado e calções ou calças escuros. Depois disso, Wilbur nunca mais seria visto vivo e consciente sem traje completo e abotoado até o pescoço, e qualquer desarrumação ou ameaça de desarrumação em suas roupas parecia enchê-lo de raiva e sobressalto. O contraste com a mãe e o avô esquálidos e desmazelados foi considerado algo notável, até que o horror de 1928 sugerisse os motivos mais justificáveis de tanto asseio.

Os mexericos de janeiro seguinte não deram tanta atenção ao fato de "o filho maligno da Lavinia" ter começado a falar, e com apenas onze meses. Sua fala era um bocado característica, tanto por ser diferente do sotaque da região quanto por exibir uma ausência dos balbucios infantis comuns até em crianças de três ou quatro anos. O menino não era de falar muito, mas quando falava parecia refletir um elemento impreciso inteiramente alheio a Dunwich e seus moradores. A estranheza não residia no que ele dizia, nem mesmo nos simples idiomatismos que usava, mas parecia vagamente associada à sua entonação ou aos órgãos internos que produziam aqueles sons articulados. O aspecto facial também era notável por sua maturidade, pois, embora compartilhasse a ausência de queixo da mãe e do avô, o nariz firme e precocemente formado, unido à expressão de seus olhos grandes, escuros, quase latinos, dava-lhe um ar de quase adulto e de inteligência quase sobrenatural. Ele era, no entanto, excessivamente feio apesar do aparente brilhantismo, havendo algo quase hircino ou animalesco em seus lábios grossos, sua pele amarelada com poros muito abertos, seu cabelo crespo e duro e suas orelhas estranhamente longas. Logo antipatizaram com ele, ainda mais do que com a mãe e o avô, e todas as conjecturas a seu respeito eram temperadas com referências à magia pretérita do velho Whateley, e como as encostas tremeram no dia em que ele berrou o pavoroso nome de *Yog-Sothoth* no meio de um círculo de pedras com um grande livro aberto nos braços à sua frente. Os cães odiavam o menino, e ele era sempre obrigado a tomar medidas defensivas contra suas ameaças e latidos.

III

Nesse ínterim, o velho Whateley continuou comprando gado sem aumentar sensivelmente o tamanho de seu rebanho. Ele também cortou lenha e consertou partes sem uso da casa – uma construção espaçosa, com telhados em gambrel e torreões, cujos fundos davam diretamente na encosta rochosa e cujos três cômodos menos arruinados do térreo sempre bastaram para ele e a filha.

Devia haver prodigiosas reservas de força no velho para permitir que realizasse trabalho tão árduo; e, embora continuasse resmungando como um demente às vezes, sua carpintaria parecia dar mostras de cálculos sensatos. Aquilo havia começado logo que Wilburn nasceu, quando um dos muitos barracões de ferramentas foi subitamente organizado, vedado com tábuas e equipado com um cadeado grosso e novo. Agora, no restauro do último andar abandonado, ele foi também um exímio artesão. Sua mania se manifestou apenas ao vedar com tábuas de madeira todas as janelas dessa parte da casa – embora muitos tenham declarado que era uma loucura fazer tal reforma. Menos inexplicável foi a construção de outro cômodo no térreo para o novo neto – um quarto que muitos visitantes viram, ainda que ninguém tivesse permissão de entrar no outro andar vedado com tábuas.

Esse cômodo, ele cobriu de prateleiras altas e firmes, nas quais começou aos poucos a organizar, com critério que parecia cuidadoso: todos os livros antigos que estavam se deteriorando e partes de livros que, no seu tempo, ele promiscuamente acumulou pelos cantos caóticos dos diversos aposentos.

– Eu li alguns deles – dizia ele enquanto restaurava uma página em letras góticas com uma pasta preparada no fogão enferrujado da cozinha –, mas o menino está apto para fazer melhor uso que eu. É melhor ele aprender o máximo que puder com esses livros, pois serão a única educação que ele vai receber.

Quando Wilbur tinha um ano e sete meses – em setembro de 1914 –, seu tamanho e realizações eram quase alarmantes. Estava grande como uma criança de quatro anos, já falava com fluência e era incrivelmente inteligente. Corria solto pelos campos e encostas, e acompanhava a mãe em todas as suas perambulações. Em casa, observava diligentemente as estranhas gravuras e os diagramas dos livros do avô, enquanto o velho Whateley o instruía e catequizava em longas tardes atarefadas. Nessa época, a restauração da casa havia terminado, e aqueles que a acompanharam se perguntaram por que uma das janelas do último andar havia sido fechada com uma porta de madeira maciça. Era a última janela dos fundos da torre leste, que dava diretamente na encosta rochosa; e ninguém podia imaginar por que uma rampa estreita de madeira fora construída do chão até lá. Por volta dessa época do final da obra, as pessoas repararam que o velho barracão de ferramentas, fechado a cadeado e vedado com tábuas desde o nascimento de Wilbur, havia sido abandonado outra vez.

A porta estava aberta, e quando Earl Sawyer entrou um dia, depois de vir vender gado ao velho Whateley, ficou bastante incomodado com o odor singular que encontrou – um fedor, ele afirmaria, como nunca tinha sentido pior na vida, exceto perto dos círculos dos índios na montanha, e que não podia vir de nada sadio ou nascido desta terra. Mas, verdade seja dita, as casas e barracões do povo de Dunwich nunca tinham sido notáveis pela impecabilidade olfativa.

Os meses seguintes foram desprovidos de eventos visíveis, exceto pelo fato notado por todos de um lento porém constante aumento nos ruídos misteriosos nas encostas. Na Noite de Santa Valburga de 1915, tremores foram sentidos pelo povo de Aylesbury, enquanto no Dia das Bruxas seguinte ouviram-se abalos subterrâneos sinistramente sincronizados com o surgimento de labaredas – "coisa daqueles Whateleys feiticeiros" – no cume de Sentinel Hill. Wilbur vinha crescendo bizarramente, de modo que parecia um menino de dez anos quando completou quatro. Ele já lia avidamente sozinho, mas passou a falar muito menos que antes. Um ar taciturno constante passou a absorvê-lo, e pela primeira vez as pessoas começaram a falar especificamente sobre uma expressão maligna em seu semblante hircino.

Ele às vezes murmurava um jargão desconhecido, e cantava em ritmos bizarros, que davam nos ouvintes calafrios de um inexplicável terror. A aversão demonstrada contra ele pelos cães havia agora se tornado uma questão notória, e ele era obrigado a portar uma pistola para atravessar os campos em segurança. O uso ocasional da arma não ajudou a melhorar sua popularidade entre os donos dos cães.

Os poucos visitantes da casa costumavam encontrar Lavinia sozinha no térreo, enquanto estranhos gritos e passos ressoavam no andar de cima, vedado com tábuas. Ela jamais contava o que seu pai e seu filho estavam fazendo lá, embora uma vez tivesse ficado pálida e demonstrado um grau anormal de medo quando um jocoso pescador tentou abrir a porta trancada que dava para a escada. Esse pescador contou às pessoas no armazém da vila de Dunwich que pensou ter ouvido cascos de cavalo no andar de cima. Os fregueses refletiram, pensando naquela porta e naquela rampa, e no gado que desaparecia tão rapidamente. Então estremeceram ao relembrar histórias da juventude do velho Whateley e das coisas estranhas que são evocadas de dentro da terra quando um bezerro é sacrificado na hora certa para determinados deuses pagãos. Havia sido notado que fazia algum tempo que os cães passaram a odiar e a temer toda a propriedade dos Whateleys tanto quanto odiavam e temiam o jovem Wilbur pessoalmente.

Em 1917, com a guerra, o advogado Sawyer Whateley, como presidente do comitê de alistamento local, teve muita dificuldade para arregimentar um pelotão de jovens de Dunwich sequer capazes de serem enviados a um campo de treinamento. O governo, alarmado com esses sinais de decadência regional generalizada, enviou diversos funcionários e médicos especialistas para investigar, conduzindo uma pesquisa de que os leitores de jornais da Nova Inglaterra talvez ainda se lembrem. Foi a publicidade decorrente dessa pesquisa que atraiu repórteres para a história dos Whateleys, e fez com que o *Boston Globe* e o *Arkham Advertiser* publicassem matérias sensacionalistas aos domingos sobre a precocidade do jovem Wilbur, a magia negra do velho Whateley, as prateleiras de livros estranhos, o segundo andar vedado da antiga casa de fazenda e a estranheza de toda a região e dos sons da montanha. Wilbur estava com quatro anos e meio, e parecia um rapaz de quinze. Seus lábios e faces eram felpudos com uma espécie de buço áspero e escuro, e sua voz começava a mudar.

Earl Sawyer foi até a casa dos Whateleys com ambos os grupos de repórteres e fotógrafos, e chamou a atenção deles para o estranho fedor que agora parecia escorrer das áreas vedadas no andar de cima. Era exatamente igual, segundo ele, a um cheiro que encontrara no barracão de ferramentas abandonado, quando a casa enfim foi reformada, e como os odores passageiros que ele às vezes julgava sentir perto dos círculos de pedra nas montanhas. O povo de Dunwich leu essas matérias quando saíram e sorriu com ironia de seus equívocos evidentes. Estranharam também por que os jornalistas deram tanta importância ao fato de o velho Whateley sempre pagar pelo gado com moedas de ouro extremamente antigas. Os Whateleys haviam recebido aqueles visitantes com mal disfarçado desgosto, mas não quiseram atrair mais publicidade resistindo violentamente ou se recusando a falar.

IV

Durante uma década, os anais dos Whateleys mergulham indistintamente na vida geral de uma comunidade mórbida, habituada a seus costumes estranhos e empedernida contra suas orgias de Santa Valburga e do Dia das Bruxas. Duas vezes por ano eles acendiam fogueiras no cume de Sentinel Hill, ocasiões em que os sons na montanha iam ganhando violência cada vez maior; enquanto em todo o resto do ano acontecimentos estranhos e portentosos ocorriam na casa solitária da fazenda. Ao longo do tempo, os visitantes alegaram ouvir sons no isolado andar superior mesmo quando toda a família estava no térreo, e eles se perguntavam quão rápido ou quão demorado era o sacrifício de um boi ou um bezerro. Aventou-se uma reclamação à Sociedade Protetora dos Animais, mas isso nunca deu em nada, uma vez que o povo de Dunwich nunca se mostrou muito interessado em chamar a atenção do mundo externo para si mesmo.

Por volta de 1923, quando Wilbur era um menino de dez anos cujas inteligência, voz, estatura e barba davam a impressão de maturidade, um segundo grande serviço de carpintaria começou na velha casa. Tudo aconteceu dentro do andar superior vedado, e pelos restos de madeira descartada as pessoas concluíram que o menino e o avô teriam derrubado todas as divisórias e até removido o assoalho do sótão, deixando apenas um grande vazio aberto entre o térreo e os torreões do telhado. Eles derrubaram até a grande lareira central e acoplaram ao fogão enferrujado um frágil tubo exaustor de estanho.

Na primavera, depois desse acontecimento, o velho Whateley reparou no número crescente de bacuraus vindos do vale de Cold Spring para chilrear embaixo de sua janela à noite. Ele aparentemente atribuiu grande significado a essa circunstância, e contou aos fregueses do Osborn que achava que sua hora estava chegando.

– Eles estão cantando sincronizados com a minha respiração agora – disse –, e acho que estão se preparando para pegar a minha alma. Eles sabem que ela está para sair e não querem deixá-la escapar. Vocês vão saber, rapazes, depois que eu morrer, se me pegaram ou não. Se me pegarem, vão ficar cantando e gargalhando até amanhecer. Se não pegarem, logo vão ficar quietos. Imagino que eles e as almas que pegam devam ter boas brigas às vezes.

Na noite de 1º de agosto, Dia de Lammas, de 1924, o dr. Houghton de Aylesbury foi chamado às pressas por Wilbur Whateley, que viera galopando em seu único cavalo no escuro e telefonara do armazém do Osborn na vila. Ele encontrara o velho Whateley em um estado muito grave, com arritmia cardíaca e respiração arquejante, que sugeriam um fim não muito distante. A filha albina disforme e o neto estranhamente barbado ficaram ao lado da cama, enquanto do abismo vazio sobre suas cabeças vinha uma inquietante sugestão de movimentos líquidos ritmados, como de ondas em uma praia plana. O médico, contudo, ficou especialmente incomodado com a cantoria das aves noturnas do lado de fora; uma legião, ao que parecia, sem fim de bacuraus que entoavam sua mensagem infinita em repetição diabolicamente sincronizada com os arquejos sibilantes do velho moribundo. Era sobrenatural e antinatural – exatamente, aliás, pensou o dr. Houghton, como a propriedade inteira onde entrara com relutância em resposta ao chamado urgente.

Perto de uma da manhã, o velho Whateley voltou à consciência e interrompeu seus arquejos para tartamudear algumas poucas palavras ao neto.

– Mais espaço, Willy, mais espaço logo. Você está crescendo, e a *coisa* cresce depressa. Logo estará pronto para te servir, menino. Abra os portões para Yog-Sothoth com o cântico longo que está na página 751 *da edição completa*, e *depois* lance um fósforo na prisão. O fogo da terra não consegue queimá-lo.

Ele estava obviamente deveras ensandecido. Após uma pausa, durante a qual o bando de bacuraus lá fora ajustou seu canto ao tempo alterado, enquanto alguns indícios de estranhos ruídos nas montanhas vieram de longe, ele acrescentou uma ou duas sentenças.

– Alimente-o regularmente, Willy, e lembre-se da quantidade, mas não deixe que cresça muito depressa para o lugar, pois, se ele quebrar as paredes e sair antes de você abrir para Yog-Sothoth, estará tudo acabado e de nada terá adiantado. Só aqueles que estão além são capazes de fazê-lo se multiplicar e agir... Só eles, os antigos, que querem voltar...

Mas a fala cedeu aos espasmos novamente, e Lavinia gritou diante do modo como os bacuraus acompanharam essa mudança. Isso continuou por mais de uma hora, quando o estertor final aconteceu. O dr. Houghton abaixou as pálpebras enrugadas sobre os olhos arregalados e cinzentos, enquanto o tumulto das aves imperceptivelmente retornou ao silêncio. Lavinia chorou e soluçou, mas Wilbur apenas riu, enquanto os ruídos nas encostas soavam ao longe.

– Não pegaram ele – murmurou em sua voz pesada de barítono.

Wilbur era, a essa altura, um acadêmico de erudição realmente tremenda, à sua maneira unilateral, e algumas pessoas sabiam que ele se correspondia com muitas bibliotecas em lugares distantes, onde antigos livros, raros e proibidos, eram conservados.

Ele se tornou cada vez mais odiado e temido na região de Dunwich devido ao desaparecimento de certos jovens, cuja suspeita levava vagamente à sua porta, mas sempre conseguia silenciar as investigações através do medo ou do uso daquele fundo de ouro antigo que ainda, como no tempo do avô, destinava regularmente e em quantias cada vez maiores à compra de gado. Agora ele tinha um aspecto tremendamente maduro, e sua altura, após atingir o limite adulto normal, parecia inclinada a ir além desse ponto. Em 1925, quando um correspondente acadêmico da Universidade Miskatonic visitou-o um dia e foi embora pálido e intrigado, o rapaz media mais de dois metros de altura.

Ao longo dos anos, Wilbur sempre tratou a mãe albina e deformada com um desprezo crescente, e finalmente a proibiu de ir às montanhas com ele na Noite de Santa Valburga e no Dia das Bruxas; e em 1926, a pobre criatura se queixou a Mamie Bishop de que estava com medo do filho.

– Sei coisas sobre ele que não posso te contar, Mamie – disse ela –, e agora tem coisas dele que nem eu sei. Juro por Deus que não sei o que ele quer nem o que está tentando fazer.

Naquele Dia das Bruxas, o som na montanha estava mais alto do que nunca, e as fogueiras foram acesas em Sentinel Hill como sempre, mas o povo prestou mais atenção aos gritos ritmados do vasto bando de bacuraus estranhamente atrasados que pareciam se reunir perto da sede da fazenda dos Whateleys, que estava às escuras. Depois da meia-noite, suas notas estridentes explodiram em uma espécie de casquinada pandemoníaca, que preencheu toda a região e só ao amanhecer finalmente se aquietou. Então, os bacuraus sumiram, voando às pressas para o sul, onde deviam ter chegado um mês antes. Do significado disso, só se teria certeza mais tarde. Ninguém do povo parecia ter morrido – mas a pobre Lavinia Whateley, a albina deformada, nunca mais foi vista.

No verão de 1927, Wilbur consertou dois barracões da fazenda e começou a levar seus livros e pertences para lá. Logo depois, Earl Sawyer contou aos fregueses do Osborn que havia mais obras de carpintaria sendo feitas na casa dos Whateleys. Wilbur estava fechando todas as portas e janelas do térreo, e parecia estar tirando as divisórias como ele e o avô haviam feito no andar de cima quatro anos antes. Estava morando em um dos barracões, e Sawyer achou que ele parecia anormalmente preocupado e trêmulo. As pessoas em geral desconfiavam que ele tivera algo a ver com o desaparecimento da mãe, e pouquíssimas chegavam perto de sua propriedade agora. Sua altura chegara a cerca de dois metros e quinze, e não dava sinais de interromper o desenvolvimento.

V

O inverno seguinte trouxe um acontecimento não menos estranho do que a primeira viagem de Wilbur para fora da região de Dunwich. Suas correspondências com a Widener Library de Harvard, com a Bibliothèque Nationale em Paris, com o British Museum, com a Universidade de Buenos Aires e com a biblioteca da Universidade Miskatonic de Arkham não haviam lhe franqueado o empréstimo de um livro que ele desejava desesperadamente; de modo que, enfim, resolveu ir pessoalmente, desmazelado, sujo, barbudo e com seu dialeto rústico, consultar o exemplar em Miskatonic, que era o mais próximo. Com seus quase dois metros e meio de altura, e levando uma valise nova e barata, comprada no armazém do Osborn, aquela gárgula morena e hircina apareceu um dia em Arkham em busca do pavoroso volume mantido trancafiado na biblioteca da universidade – o odioso *Necronomicon*, do árabe louco Abdul Alhazred, em tradução latina de Olaus Wormius, tal como impresso na Espanha no século XVII. Ele nunca tinha visto uma cidade antes, mas não pensou em nada além de chegar o mais depressa possível à universidade, onde, de fato, passou impassível por um grande cão de guarda de dentes brancos, que latiu com fúria e animosidade incomuns e puxou freneticamente sua corrente grossa.

Wilbur levara consigo o exemplar inestimável porém imperfeito da versão inglesa do dr. Dee, que herdara do avô, e, ao receber acesso ao exemplar latino, começou imediatamente a cotejar os dois textos com o objetivo de descobrir certa passagem que viria na página 751 de seu volume truncado. Isso ele não podia deixar de explicar educadamente ao bibliotecário – o mesmo erudito Henry Armitage (formado na Miskatonic, doutor em Princeton, doutor em literatura na Johns Hopkins) que um dia o visitara na fazenda, e que agora lhe fazia perguntas gentis. Ele estava procurando, teve de admitir, uma espécie de fórmula ou encantamento que continha o temível nome de *Yog--Sothoth*, e ficara intrigado ao encontrar discrepâncias, duplicidades e ambiguidades que tornavam a determinação nada fácil. Enquanto Wilbur copiava a fórmula que enfim encontrara, o dr. Armitage olhou involuntariamente, por cima de seu ombro, para as páginas abertas; a da esquerda, na versão latina, continha ameaças monstruosas à paz e à sanidade do mundo. Dizia o texto que Armitage traduziu mentalmente:

Tampouco se deve pensar que o homem seja ou o mais antigo ou o último senhor da terra, ou que a grande massa de vida e substância caminhe sozinha. Houve os Grandes Antigos, há os Grandes Antigos e haverá os Grandes Antigos. Não nos espaços que conhecemos, mas entre esses espaços, Eles caminham serenos e primordiais, não dimensionais e invisíveis para nós. Yog-Sothoth *conhece o portal.* Yog-Sothoth *é o portal.* Yog-Sothoth *é a chave e o guardião do portal. Passado, presente, futuro, todos são um em* Yog-Sothoth. *Ele sabe onde os Grandes Antigos atravessaram antigamente, e onde Eles atravessarão outra vez. Ele sabe onde Eles trilham os campos da terra, e onde Eles ainda os estão trilhando, e por que ninguém é capaz de vê-Los enquanto trilham. Pelo Seu cheiro os homens às vezes sabem que Eles estão por perto, mas Sua aparência homem nenhum jamais soube,* exceto nos traços daqueles que Eles geraram na humanidade*; e desses há muitos tipos, diferindo em semelhança da imagem genuína do homem até aquela forma sem visão ou substância que são* Eles. *Eles caminham invisíveis e empesteiam lugares ermos onde as Palavras foram pronunciadas e os Ritos uivados ao longo das suas Estações. O vento balbucia com Suas vozes, e a terra murmura com Sua consciência. Eles dobram florestas e esmagam cidades, mas nem florestas nem cidades jamais contemplaram a mão que as destrói. Kadath na desolação gelada Os conheceu, e quem entre os homens conheceu*

Kadath? O deserto de gelo do Sul e as ilhas naufragadas do Oceano contêm rochas onde Seu selo está gravado, mas quem já viu a profunda cidade congelada ou a torre vedada há muito engrinaldada de algas e cracas? O Grande Cthulhu é Seu primo, no entanto ele só Os vê difusamente. Iä! Shub-Niggurath! *Como uma imundície Eles serão conhecidos de ti. Suas mãos estão na tua garganta, no entanto não Os vês; e Sua morada é a mesma do teu umbral guarnecido.* Yog-Sothoth *é a chave do portal, por meio do qual as esferas se encontram. Hoje reina o homem onde um dia Eles reinaram; Eles reinarão outra vez onde hoje reina o homem. Depois do verão vem o inverno, e depois do inverno, o verão. Eles aguardam pacientes e potentes, pois aqui Eles reinarão outra vez.*

O dr. Armitage, associando o que ele estava lendo com o que tinha ouvido sobre Dunwich e suas presenças soturnas, e sobre Wilbur Whateley e sua aura escura e hedionda, que se expandia desde um nascimento dúbio até uma nuvem de provável matricídio, sentiu um calafrio de pavor tão tangível quanto uma corrente de ar vinda da viscosidade fria de um túmulo. O gigante hircino e encurvado diante dele parecia um ser de outro planeta ou de outra dimensão, como algo apenas parcialmente humano, e associado a golfos obscuros da essência e da entidade que se expandem como fantasmas titânicos além de todas as esferas da força e da matéria, do espaço e do tempo. Então Wilbur ergueu a cabeça e começou a falar daquele seu jeito estranho, ressonante, que sugeria órgãos fonadores diferentes dos da humanidade.

– Sr. Armitage – disse ele –, creio que vou precisar levar o livro para casa. Há coisas nele que eu gostaria de experimentar sob determinadas circunstâncias de que não disponho aqui, e seria um pecado mortal que uma questão burocrática me impedisse. Deixe-me levar o livro emprestado, senhor, e prometo que ninguém vai notar a diferença. Nem preciso dizer que vou tomar cuidado. Não fui eu quem deixou esse exemplar de John Dee nesse estado...

Ele se deteve ao notar a negativa firme no rosto do bibliotecário, e seu semblante de traços hircinos se tornou astucioso. Armitage, disposto a dizer que ele podia fazer uma cópia de todas as partes de que precisasse, pensou subitamente nas possíveis consequências e mudou de ideia. Era muita responsabilidade dar àquela criatura a chave para esferas externas tão blasfemas. Whateley entendeu a situação, e tentou responder com leveza.

– Ora, está bem, se você pensa assim. Talvez Harvard não crie tanto caso quanto vocês.

E, sem dizer mais nada, ele se levantou e caminhou para fora do edifício, parando diante de cada porta. Armitage ouviu os latidos selvagens do grande cão de guarda e observou os saltos simiescos de Whateley ao atravessar o trecho do campus visível da janela. Lembrou-se das histórias fantásticas que tinha ouvido e das velhas matérias de domingo do *Advertiser* de Arkham; disso e das lendas que ele havia recolhido dos moradores da vila e da zona rural de Dunwich durante sua única visita. Coisas nunca vistas e extraterrenas – ou no mínimo não da terra tridimensional – agitavam-se, fétidas e horrendas através dos vales da Nova Inglaterra, e assomavam obscenamente nos cumes de suas montanhas. Disso ele sempre tivera certeza. Agora parecia sentir a presença próxima de alguma porção terrível desse horror invasivo e vislumbrar um avanço infernal no domínio negro do antigo e outrora passivo pesadelo. Ele tornou a trancafiar o *Necronomicon* com um tremor de asco, mas a sala continuava empesteada de um fedor profano e indecifrável.

– Como uma imundície Eles serão conhecidos de ti – citou.

Sim, o odor era o mesmo que o enjoara na sede da fazenda Whateley menos de três anos antes. Ele pensou em Wilbur, hircino e soturno, outra vez, e riu zombeteiramente dos rumores da vila sobre sua ascendência.

– Endogamia? – Armitage murmurou consigo, mas audivelmente. – Santo Deus, que gente simplória! Se lessem o *Grande deus Pã* de Arthur Machen, diriam se tratar de um escândalo comum em Dunwich! Mas quem... que maldita influência informe dessa ou de outra terra tridimensional... seria o pai de Wilbur Whateley? Nascido na Candelária, nove meses depois da Noite de Santa Valburga em 1912, quando a história sobre os estranhos ruídos na terra chegaram até Arkham. O que teria caminhado nas montanhas naquela Noite de Santa Valburga? Que horror do Santo Dia da Cruz se amarrou ao mundo em carne e ossos semi-humanos?

Durante as semanas seguintes, o dr. Armitage passou a reunir todos os dados possíveis sobre Wilbur Whateley e as presenças amorfas na região de Dunwich. Ele entrou em contato com o dr. Houghton, de Aylesbury, que atendera o velho Whateley em sua doença final, e meditou profundamente a respeito das últimas palavras do avô citadas pelo médico. Uma visita à vila de Dunwich não serviu para revelar muita novidade; porém uma pesquisa atenta no *Necronomicon*, dos trechos que Wilbur buscara tão avidamente, parecia fornecer novas e terríveis pistas sobre a natureza, os métodos e os desejos do estranho mal que tão vagamente ameaçava o planeta. Conversas com diversos estudantes de lendas arcaicas em Boston, e cartas a muitos outros em outros lugares, só fizeram aumentar seu espanto, que foi aos poucos passando por graus variados de alarme até um estado real de medo espiritual agudo. Conforme o verão se aproximava, ele sentiu difusamente a necessidade de fazer alguma coisa a respeito dos terrores que espreitavam o alto vale das Miskatonics e da monstruosa criatura que se apresentava ao mundo dos homens como Wilbur Whateley.

VI

O horror de Dunwich em si ocorreu entre Lammas e o equinócio de 1928, e o dr. Armitage esteve entre aqueles que testemunharam seu prólogo monstruoso. Ele tinha ouvido, nesse ínterim, sobre a grotesca viagem de Whateley a Cambridge e seus esforços frenéticos para levar emprestado ou copiar o exemplar do *Necronomicon* da Widener Library. Tais esforços foram em vão, pois Armitage enviara avisos, com a mais aguda intensidade, a todos os bibliotecários que dispunham do temível volume. Wilbur demonstrara um nervosismo chocante em Cambridge; angustiado pelo livro, mas quase igualmente angustiado para voltar logo para casa, como se temesse os resultados de sua ausência.

No início de agosto, o desfecho quase esperado aconteceu, e nas primeiras horas do dia 3 o dr. Armitage foi acordado subitamente pelos uivos selvagens e ferozes do cão de guarda do campus da faculdade. Graves e terríveis, os uivos, os rosnados e os latidos enlouquecidos continuaram cada vez mais altos, mas com pausas hediondamente significativas. Então se ergueu um grito de uma garganta inteiramente diferente – um grito que acordou metade das pessoas em Arkham e assombrou seus sonhos desde então. Tal grito parecia saído de uma criatura não nascida na terra, não inteiramente.

Armitage, vestindo-se às pressas e correndo pela rua até o bloco de edifícios da faculdade, viu outros colegas à sua frente e ouviu ecos do alarme antifurto ainda soando na biblioteca. Uma janela aberta revelava o interior escuro e vazio ao luar. Quem havia entrado continuava ali dentro, pois os latidos e os gritos, agora reduzidos a um misto de rosnados graves e gemidos, provinham indiscutivelmente de lá. Algum instinto alertou Armitage de que o que estava acontecendo não era coisa para olhos despreparados, de modo que afastou a multidão com autoridade e destrancou ele mesmo a porta do vestíbulo. Entre os presentes, notou o professor Warren Rice e o dr. Francis Morgan, homens a quem havia confiado parte de suas conjecturas e apreensões; e a esses dois ele fez sinal para que o acompanhassem. O barulho lá de dentro, com exceção de um ganido atento, estridente, de cachorro, havia a essa altura quase parado, mas Armitage então percebeu sobressaltado um súbito coro alto de bacuraus vindo dos arbustos, com seus pios desgraçadamente ritmados, como em uníssono com os últimos estertores de um moribundo.

O prédio estava impregnado de um pavoroso fedor que o dr. Armitage conhecia bem, e os três homens correram até a pequena sala de leitura com os livros de genealogia, de onde vinham os ganidos. Durante um segundo, ninguém ousou acender a luz, então Armitage tomou coragem e ligou o interruptor. Um dos três – não se sabe ao certo qual – soltou um berro diante do que se espalhava diante deles em meio a mesas desordenadas e cadeiras viradas. O professor Rice declara ter perdido inteiramente a consciência por um instante, embora não tenha tropeçado ou caído.

A criatura, inclinada de lado em uma poça fétida de sânie amarelo-esverdeada e alcatroada viscosidade, tinha mais de dois metros e setenta de altura, e o cachorro havia arrancado toda a sua roupa e parte da pele. Não estava exatamente morta, mas se retorcia, silenciosa e espasmodicamente, enquanto seu peito arquejava em monstruoso uníssono com os pios enlouquecidos dos bacuraus expectantes lá fora. Pedaços de couro de sapato e fragmentos de peças de roupa estavam espalhados pelo cômodo, e, logo abaixo da janela, um saco vazio de lona jazia onde evidentemente havia sido atirado. Perto da escrivaninha central, um revólver havia caído, uma cápsula amassada, porém não disparada, mais tarde explicaria o porquê de não ter havido o tiro. A criatura em si, contudo, expulsava todas as outras imagens da cena. Seria banal e não de todo acurado dizer que nenhuma pena humana seria capaz de descrevê-la, mas seria adequado dizer que não seria vividamente visualizada por ninguém cujas ideias sobre aspecto e contorno fossem limitadas às formas comuns de vida deste planeta ou das três dimensões conhecidas. Era parte humana, sem dúvida, com mãos e cabeça muito semelhantes às nossas, e o rosto hircino, sem queixo, tinha a marca dos Whateleys estampada. Mas o torso e as partes inferiores do corpo eram teratologicamente fabulosas, de modo que apenas roupas muito folgadas permitiram que andasse pela terra sem ser questionado ou exterminado.

Acima da cintura, era semiantropomórfica, embora no peito, onde as patas do cão ainda pousavam atentamente, a pele fosse coriácea e reticulada, semelhante à do crocodilo ou do jacaré. O dorso era malhado de amarelo e preto, e sugeria discretamente a cobertura escamosa de certas serpentes. Abaixo da cintura, contudo, era muito pior, pois aqui terminava qualquer semelhança humana e começava a pura fantasia. A pele era espessa e coberta de um pelo negro áspero, e, desde o abdômen, vinte tentáculos compridos, cinza-esverdeados, com ventosas vermelhas, se projetavam frouxamente. A disposição era esquisita, e parecia seguir simetrias de alguma geometria cósmica desconhecida da terra ou do sistema solar. Cada quadril, afundado em uma espécie de órbita ciliada rosada, era o que parecia ser um olho rudimentar; ao passo que, no lugar da cauda, pendia uma espécie de tronco ou antena com anéis roxos, e com muitas evidências de ser uma boca ou garganta não muito desenvolvida. Os membros, com exceção do pelo negro, lembravam grosseiramente as pernas traseiras dos gigantescos sáurios da terra pré-histórica, e terminavam em patas com marcas de veias que não eram nem cascos nem garras. Quando a criatura respirava, sua cauda e seus tentáculos mudavam ritmicamente de cor, como se houvesse uma causa circulatória comum ao lado não humano de sua ancestralidade. Nos tentáculos, isso se observava na forma de um escurecimento do matiz esverdeado, enquanto na cauda se manifestava como uma aparição amarelada, que se alternava com um branco acinzentado e doentio, nos espaços entre os anéis roxos. Sangue genuíno não havia; apenas a sânie fétida amarelo-esverdeada que escorria pelo assoalho pintado, para além do raio da viscosidade, e deixava uma curiosa descoloração em seu rastro.

Como a presença dos três homens parecia despertar a criatura moribunda, ela começou a murmurar sem virar ou erguer a cabeça. O dr. Armitage não fez nenhum registro escrito de seus balbucios, mas afirma confiantemente que nada foi pronunciado em inglês. A princípio, as sílabas desafiavam qualquer correlação com alguma linguagem terrestre, mas perto do fim ouviram-se fragmentos desconexos evidentemente retirados do *Necronomicon*, monstruosa blasfêmia em busca da qual a criatura perecera. Esses fragmentos, tal como Armitage os recorda, diziam algo como *"N'gai, n'gha'ghaa, bugg-shoggog, y'hah; Yog-Sothoth, Yog-Sothoth..."*. Eles se reduziram a nada conforme os bacuraus chilreavam em crescendos ritmados de profana antecipação.

Então os arquejos cessaram, e o cão levantou a cabeça em um uivo longo e lúgubre. Uma mudança se deu no rosto amarelado e hircino da prostrada criatura, e os grandes olhos negros se fecharam aterradoramente. Do lado de fora da janela, a gritaria dos bacuraus cessou de repente, e acima dos murmúrios da multidão reunida ouviu-se um zumbido e uma revoada pânica. Contra a lua, vastas nuvens de observadores emplumados se ergueram e desapareceram, voando frenéticos atrás daquilo que seria sua presa.

No mesmo instante o cão se sobressaltou, latiu assustado e saltou nervosamente pela janela por onde havia entrado. Um grito se ergueu da multidão, e o dr. Armitage berrou para os homens lá fora que ninguém tinha permissão de entrar antes que a polícia ou um médico chegassem. Ele deu graças ao fato de as janelas serem altas demais para permitir que espiassem, e fechou as cortinas escuras cuidadosamente sobre cada uma. A essa altura, dois policiais haviam chegado; e o dr. Morgan, recebendo-os no vestíbulo, insistiu, pelo bem deles, que esperassem para entrar na sala de leitura impregnada de fedor até que o médico chegasse e a criatura prostrada fosse coberta.

Nesse ínterim, mudanças apavorantes ocorreram no térreo. Não é preciso descrever o *tipo* e a *velocidade* do encolhimento e da desintegração que ocorreram diante dos olhos do dr. Armitage e do professor Rice; mas é possível dizer que, além da aparência externa do rosto e das mãos, o elemento realmente humano em Wilbur Whateley devia ser muito pequeno. Quando o médico chegou, só havia uma massa viscosa e esbranquiçada sobre as tábuas pintadas do assoalho, e o odor monstruoso tinha quase desaparecido. Aparentemente, Whateley jamais tivera crânio ou esqueleto ósseo; ao menos, em nenhum sentido genuíno e constante. De certa forma, ele puxara o pai desconhecido.

VII

No entanto, tudo isso foi apenas o prólogo do verdadeiro horror de Dunwich. Foram cumpridas as formalidades pelos oficiais perplexos, detalhes anormais foram devidamente encobertos do conhecimento da imprensa e do público, e homens foram enviados a Dunwich e Aylesbury para investigar a propriedade e notificar algum possível herdeiro do falecido Wilbur Whateley. Encontraram a zona rural em polvorosa, tanto por conta dos sons das montanhas coroadas quanto pelo fedor estranho e os sons crescentes, líquidos, que se ouviam cada vez mais altos, vindos da grande concha oca formada pela sede lacrada de ripas da fazenda Whateley. Earl Sawyer, que cuidara do cavalo e do gado na ausência de Wilbur, desenvolvera uma condição nervosa dolorosamente aguda. Os oficiais encontraram desculpas para não entrar no ruidoso recinto lacrado e se contentaram em confinar sua investigação aos aposentos do falecido, os barracões recém-consertados, numa única visita. Eles deram entrada em um longo relatório no tribunal de Aylesbury, e dizem que o litígio da herança ainda está em processo entre os inúmeros Whateleys, decadentes e não decadentes, do alto do vale das Miskatonics.

Um manuscrito quase interminável em caracteres estranhos, escrito em um imenso livro de registro, e considerado uma espécie de diário devido ao espaçamento e às variações de tintas e caligrafias, representou um intrigante enigma àqueles que o encontraram no velho gabinete que servia de escrivaninha a seu autor. Após uma semana de discussões, o livro foi enviado à Universidade Miskatonic, assim como a coleção de livros estranhos do falecido, para estudos e eventual tradução, mas os melhores linguistas logo viram que não era provável que fosse decifrado com facilidade. Nenhum sinal do ouro antigo que Wilbur e o velho Whateley sempre usaram para pagar suas contas foi descoberto.

Foi quando escureceu, a 9 de setembro, que o horror começou. Os ruídos nas montanhas estavam muito intensos ao entardecer, e os cães latiram freneticamente a noite inteira. Os madrugadores do dia 10 notaram um fedor peculiar no ar. Por volta das sete da manhã, Luther Brown, o menino que trabalhava na fazenda de George Corey, entre o vale de Cold Spring e a vila, voltou agitado de sua ida matinal ao pasto de Ten-Acre Meadow com as vacas. Ele estava quase tendo uma convulsão de pavor quando entrou cambaleante na cozinha; e no quintal lá fora o gado, não menos assustado, pateava e mugia penosamente, tendo acompanhado o menino de volta, no mesmo pânico que ele. Entre pausas para tomar ar, Luther tentou tartamudear sua história à senhora Corey.

– Lá no alto da estrada depois do vale, dona Corey. Tem alguma coisa lá! Está com cheiro de tempestade, e todos os arbustos e arvorezinhas estão dobrados para fora da estrada como se tivesse passado uma casa por ali. E isso nem é o pior, que nada... As *pegadas* na estrada, dona Corey; umas pegadas redondas, grandes, do tamanho de um tonel, bem afundadas, como se um elefante tivesse pisado ali, *só que são demais para um bicho só de quatro patas fazer!* Eu olhei uma ou duas antes de começar a correr, e vi que são cheias de linhas que partem de um mesmo lugar, como leques grandes de folha de palmeira, só que duas ou três vezes maior, bem marcadas na estrada. E o cheiro era horrível, como aquele que tem perto da casa do velho bruxo Whateley...

Nesse ponto, ele hesitou e pareceu estremecer novamente com o medo que sentira na volta apressada. A sra. Corey, incapaz de extrair mais informação dele, começou a telefonar para os vizinhos, dando assim início à abertura do pânico que prenunciava terrores maiores. Quando Sally Sawyer atendeu, a governanta da casa de Seth Bishop, a propriedade mais próxima da fazenda Whateley, foi sua vez de ouvir em vez de falar, pois o filho de Sally, o menino Chauncey, que tinha o sono leve, tinha subido a encosta na direção dos Whateleys, e voltou correndo apavorado depois da dar uma espiada no lugar e no pasto onde as vacas do sr. Bishop tinham passado a noite.

– Sim, dona Corey – Veio a voz trêmula de Sally pelo fio. – O Chancey acabou de voltar e me contar isso, e quase não consegue falar de tão assustado! Disse que a casa do velho Whateley está toda derrubada, com as vigas espalhadas como se tivesse explodido dinamite lá dentro. Só o térreo não desabou, mas está todo coberto com uma espécie de alcatrão, que tem um cheiro horroroso e que fica escorrendo pelos cantos no chão onde as toras foram derrubadas. E diz que tem umas pegadas horríveis no quintal também, umas pisadas redondas, enormes, maiores que um barril, e tudo grudento de coisa, igual na casa destruída. O Chancey falou que as pegadas levam para o pasto, onde tem um rastro grande, maior que um celeiro, e todas as paredes de pedra foram derrubadas por onde a coisa passou.

"E ele contou, dona Corey, que foi ver as vacas do Seth, mesmo com medo, e as encontrou no pasto de cima perto do Salto do Diabo em um estado lastimável. Metade tinha sumido, e metade tinha tido o sangue quase todo sugado delas, com feridas parecidas com as do gado do Whateley depois que a Lavinia teve aquele menino maligno. O Seth agora saiu para procurar as vacas, mas acho que ele não vai ter coragem de ir muito perto da casa do bruxo Whateley! O Chancey não viu direito para onde o rastro gigante levava além do pasto, mas falou que acha que apontava para a estrada do vale até a vila.

"Vou te falar, dona Corey, tem coisa vindo aí que não devia ter saído de onde saiu, e eu cá comigo acho que aquele maligno do Wilbur Whateley, que teve o fim que merecia, está por trás da origem disso aí. Ele não era totalmente humano, eu sempre falei isso para todo mundo, e acho que ele e o velho Whateley devem ter invocado alguma coisa naquela casa com as tábuas pregadas que era ainda menos humana que ele. Sempre teve coisas que ninguém via em Dunwich, coisas vivas, que não são gente humana e não prestam para gente humana.

"O chão ficou falando a noite passada inteira, e até de manhã o Chancey ficou ouvindo bacurau cantar tão alto no vale de Col' Spring que ele nem conseguiu dormir. Aí ele achou que ouviu outro som fraco vindo da casa do bruxo Whateley, um tal de quebrar madeira, rachando, como se estivessem abrindo uma caixa grande de madeira. Com isso e aquilo, ele não dormiu mais até o sol nascer, e assim que nasceu ele foi até a casa do Whateley ver o que era. Ele viu o suficiente, vou te contar, dona Corey!

Isso coisa boa não é, e eu acho que os homens tinham que formar um grupo e fazer alguma coisa a respeito. Tenho certeza de que vai acontecer alguma barbaridade, e tenho pressentimento de que vai ser logo, embora só Deus saiba o que é.

"O seu Luther reparou por acaso aonde o rastro levava? Não? Ora, dona Corey, se era na estrada do vale, deste lado do vale, e ainda não passou pela sua casa, acho que deve estar indo na direção do vale mesmo. Eu acho que é bem isso que ele faria. Sempre falei que o vale de Col' Spring não era sadio, é um lugar indecente. O tanto de bacurau e pirilampo que tem lá, não é como outras criaturas de Deus, e dizem que dá para ouvir coisas estranhas se mexendo e falando no ar, ali, se a pessoa parar no lugar certo, entre o despenhadeiro de pedra e Bear's Den."

Por volta do meio-dia, três quartos dos homens e meninos de Dunwich formaram uma tropa e partiram pelas estradas e campos até a recente ruína da propriedade dos Whateleys e o vale de Cold Spring, examinando horrorizados as pegadas imensas e monstruosas, o gado do Bishop dilacerado, a estranha e ruidosa desgraça da sede da fazenda, e a vegetação estraçalhada, amassada, dos campos e das margens da estrada. O que quer que tenha se desencadeado sobre o mundo seguramente havia descido pela grandiosa e sinistra ravina, pois todas as árvores das margens estavam dobradas e rachadas, e uma grande avenida se abriu na vegetação rasteira do precipício. Era como se uma casa, lançada por uma avalanche, houvesse deslizado através das plantas emaranhadas do declive quase vertical. Nenhum som vinha lá de baixo, mas apenas um fedor distante, indefinível; e não é de estranhar que os homens tenham preferido parar na borda e discutir, em vez de descer e enfrentar o horror ciclópico em seu antro. Três cachorros que estavam com o grupo haviam começado a latir furiosamente, mas depois, ao que parece, se acovardaram e se calaram relutantes nas imediações do vale. Alguém telefonou dando a notícia ao *Aylesbury Transcript*, porém o editor, acostumado a histórias fantásticas vindas de Dunwich, não fez mais que produzir um parágrafo bem-humorado a respeito; nota pouco depois reproduzida pela agência Associated Press.

Naquela noite, todo mundo voltou para casa, e cada casa e cada celeiro ergueu sua barricada o mais firmemente possível. Desnecessário dizer, nenhum gado passou a noite ao relento no pasto. Por volta das duas da manhã, um fedor pavoroso e os latidos selvagens dos cães acordaram as pessoas na casa de Elmer Frye, no limite leste do vale de Cold Spring, e todos concordaram ter ouvido um som líquido, de movimento abafado, de alguma coisa lá fora. A sra. Frye propôs telefonar para os vizinhos, e Elmer estava prestes a concordar quando o barulho de madeira sendo rachada se impôs sobre suas deliberações. Vinha, ao que tudo indicava, do celeiro, e foi rapidamente seguido por uma gritaria e um tropel hediondo do gado. Os cães salivaram e se agacharam junto aos pés da família anestesiada de medo. Frye acendeu uma lanterna por força do hábito, contudo sabia que seria fatal sair naquela escuridão. As crianças e as mulheres choramingaram, mas não gritaram, impedidas por algum vestígio obscuro de instinto de defesa que lhes dizia que suas vidas dependiam do silêncio. Enfim o barulho do gado se reduziu a gemidos dolentes, e seguiu-se um grande estouro, de rachaduras e estalidos. Os Fryes, amontoados na sala, não ousaram se mexer enquanto os últimos ecos não morreram ao longe no vale de Cold Spring. Então, em meio aos gemidos melancólicos vindos do estábulo e os pios demoníacos dos últimos bacuraus no vale, Selina Frye cambaleou até o telefone e difundiu o máximo que pôde a segunda fase do horror.

No dia seguinte, toda a zona rural estava em pânico; e, acovardados, grupos pouco comunicativos iam e vinham aos locais onde a criatura demoníaca havia aparecido. Dois rastros titânicos de destruição se estendiam do vale à fazenda dos Fryes, pegadas monstruosas cobriam os trechos batidos do terreno, e um dos lados do velho celeiro vermelho havia cedido completamente. Quanto ao gado, apenas um quarto das cabeças foram encontradas e identificadas. De algumas dessas cabeças, restavam apenas curiosos fragmentos, e todo o gado sobrevivente teve de ser abatido a tiros. Earl Sawyer sugeriu que pedissem ajuda em Aylesbury ou Arkham, mas outros insistiram que de nada adiantaria. O velho Zebulon Whateley, de um ramo que pairava entre a solidez e a decadência, fez sugestões obscuras e bizarras sobre rituais que deveriam ser praticados no cume dos montes. Ele vinha de uma linhagem de forte tradição, e suas lembranças de cânticos em grandes círculos de pedra não tinham qualquer relação com Wilbur e seu avô.

A escuridão se fez sobre a gente abalada da roça, passiva demais para se organizar em uma defesa concreta. Em poucos casos, famílias mais íntimas formaram um só bando e passaram a noite em vigília sob um mesmo teto, mas em geral houve apenas a repetição de barricadas da noite anterior, e um gesto inútil, ineficaz, de carregar mosquetes e deixar os forcados à mão. Nada, no entanto, ocorreu, exceto os sons da montanha; e quando o dia amanheceu muitos desejaram que o novo horror tivesse acabado tão rapidamente quanto começou. Algumas almas mais ousadas até propuseram uma expedição ofensiva até o vale, embora não chegassem a dar o exemplo efetivo à maioria ainda relutante.

Quando a noite voltou outra vez, as barricadas se repetiram, mas houve menos aglomeração de famílias. Pela manhã, as famílias de Frye e Seth Bishop relataram agitação entre os cães e vagos sons e remotos odores, enquanto os primeiros exploradores notaram com horror um novo conjunto de pegadas monstruosas na estrada para Sentinel Hill. Assim como antes, as margens da estrada mostravam escoriações indicativas de uma massa blasfemamente estupenda de horror; embora a conformação do rastro parecesse sugerir passagens em duas direções, como se a montanha semovente tivesse vindo do vale de Cold Spring e voltado pelo mesmo caminho. Na base da encosta, uma faixa de quase dez metros de arbustos esmagados levava para cima abruptamente, e os observadores engoliram em seco ao verem que até os lugares mais perpendiculares exibiam o rastro inexorável. O que quer que fosse o horror, era capaz de escalar um rochedo maciço quase totalmente vertical; e quando os investigadores subiram até o topo da encosta por caminhos mais seguros, viram que o rastro acabava – ou melhor, mudava de direção – ali.

Era ali que os Whateleys costumavam fazer suas fogueiras infernais e entoar seus rituais demoníacos sobre a pedra em formato de mesa na Noite de Santa Valburga e no Dia das Bruxas. Agora aquela mesma pedra formava o centro de um amplo espaço devastado pelo montanhoso horror, enquanto em sua superfície ligeiramente côncava havia um depósito espesso e fétido da mesma viscosidade alcatroada observada no assoalho da sede arruinada da fazenda dos Whateleys quando o horror escapou.

Os homens se entreolharam e murmuraram. Depois olharam morro abaixo. Aparentemente o horror havia descido por um caminho muito semelhante ao da subida. Era vão especular. A razão, a lógica e as ideias normais de motivação se confundiam. Apenas o velho Zebulon, que não estava com o grupo, seria capaz de fazer justiça à situação ou sugerir uma explicação plausível.

A noite de quinta-feira começou muito parecida com as outras, mas teve um final menos feliz. Os bacuraus no vale haviam gritado com persistência tão incomum que muitos moradores não conseguiram dormir, e por volta das três horas da manhã os telefones de todos do grupo tocaram tremulamente. Aqueles que atenderam ouviram uma voz enlouquecida pelo medo berrar "Socorro, oh, meu Deus!...", e alguns pensaram ouvir o som de algo sendo esmagado após a exclamação. Não houve mais nada.

Ninguém ousou fazer coisa alguma, e ninguém ficou sabendo até o amanhecer de quem era aquela voz ao telefone. Então aqueles que a ouviram telefonaram para todos os outros e descobriram que apenas os Fryes não atendiam. A verdade apareceu uma hora mais tarde, quando um grupo formado às pressas de homens armados foi até a casa dos Fryes na entrada do vale. Foi horrível, mas dificilmente uma surpresa. Havia mais faixas de rastros e pegadas monstruosas, mas não havia mais casa alguma. Ela havia implodido como uma casca de ovo, e em meio às ruínas nada vivo ou morto foi encontrado. Apenas um fedor e uma viscosidade alcatroada. A família de Elmer Frye havia sido apagada da face de Dunwich.

VIII

Nesse ínterim, uma fase mais silenciosa e ainda mais espiritualmente pungente do horror vinha se desenrolando às escuras, por trás da porta fechada de uma sala cheia livros em Arkham. O curioso registro manuscrito ou diário de Wilbur Whateley, entregue à Universidade Miskatonic para ser traduzido, havia causado muita preocupação e perplexidade entre especialistas em línguas antigas e modernas; seu próprio alfabeto, não obstante uma semelhança geral com o arábico muito obscurecido usado na Mesopotâmia, era absolutamente desconhecido de todas as autoridades consultadas. A conclusão final dos linguistas foi de que o texto representava um alfabeto artificial, o que equivalia a uma criptografia, embora nenhum dos métodos usuais de solução criptográfica fornecesse qualquer pista, mesmo aplicados com base em todas as línguas concebíveis que o autor pudesse ter usado. Os livros antigos trazidos dos aposentos dos Whateleys, apesar de absorventemente interessantes e, em diversos casos, potencialmente inspiradores de novas e terríveis linhas de pesquisa entre filósofos e cientistas, não foram de nenhuma assistência nesse caso. Um deles, um volume pesado, com cadeado de ferro, era escrito em outro alfabeto desconhecido – este de aparência muito distinta, e lembrando o sânscrito mais do que qualquer outro. O velho livro de registro foi enfim entregue à inteira responsabilidade do dr. Armitage, tanto devido a seu interesse peculiar no caso dos Whateleys, quanto por seu amplo conhecimento linguístico e sua familiaridade com fórmulas místicas da Antiguidade à Idade Média.

Armitage cogitou que talvez fosse um alfabeto utilizado esotericamente por cultos proibidos, sobreviventes de tempos mais antigos, e que teriam herdado muitas formas e tradições dos feiticeiros do mundo sarraceno. Essa questão, no entanto, ele não considerou vital, uma vez que seria desnecessário conhecer a origem dos símbolos se, como ele suspeitava, eles estivessem sendo usados como cifra em uma língua moderna. Ele acreditava que, considerando a grande quantidade de texto envolvida, o autor dificilmente teria se dado ao trabalho de usar outra língua que não a sua, exceto talvez em certas fórmulas e encantamentos especiais. Sendo assim, abordou o manuscrito com a suposição preliminar de que a maior parte estava em inglês.

O dr. Armitage sabia, a partir dos repetidos fracassos de seus colegas, que o enigma era profundo e complexo, e que nenhum modo simples de solução merecia sequer ser tentado. Ao longo de todo o fim de agosto, ele se alimentou de abundante material sobre criptografia, recorrendo a todos os recursos de sua própria biblioteca e percorrendo noite após noite os arcanos da *Poligrafia*, de Tritêmio; das *De Furtivis Literarum Notis*, de Giambattista Porta; do *Traité des Chiffres*, de De Vigenère; da *Cryptomenysis Patefacta*, de Falconer; dos tratados do século XVIII de Davys e Thicknesse; e de autoridades mais modernas como Blair, Von Marten e Klüber, com sua *Kryptographik*. Ele alternou o estudo desses livros com abordagens do manuscrito em si, e com o tempo se convenceu de que precisaria lidar com um dos mais sutis e engenhosos criptogramas, no qual muitas listas separadas de letras correspondentes são arranjadas com uma tabuada de multiplicação, e a mensagem era construída a partir de palavras-chaves arbitrárias, conhecidas apenas pelos iniciados. As autoridades mais antigas se revelaram mais úteis do que as mais novas, e Armitage concluiu que o código do manuscrito era muito mais antigo, sem dúvida passado de mão em mão através de uma longa linhagem de místicos praticantes. Diversas vezes ele se viu próximo da luz, mas precisou recuar por algum imprevisto. Então, quando setembro se aproximou, as nuvens começaram a se abrir. Algumas letras, tal como usadas em certas partes do manuscrito, emergiram definitiva e inconfundivelmente; ficou óbvio que o texto era mesmo em inglês.

Ao anoitecer do dia 2 de setembro, a última grande barreira foi transposta, e o dr. Armitage leu pela primeira vez uma passagem contínua dos anais de Wilbur Whateley. Era na verdade um diário, como todos pensavam, e vinha lavrado em um estilo que claramente mostrava a mescla de erudição ocultista e analfabetismo da estranha criatura que o escreveu. Praticamente logo a primeira passagem longa que Armitage decifrou, uma entrada de 26 de novembro de 1916, revelou-se altamente preocupante e inquietante. Escrita, ele se lembrou, por um menino de três anos e meio que parecia um rapaz de doze ou treze. Ela dizia:

Hoje aprendi como se diz Sabaoth em aklo, e não gostei, sendo o que se responde da montanha e não do ar. O que mora no andar de cima não é como eu tinha pensado que seria, e não deve ter muito cérebro na terra. Dei um tiro no collie do Elam Hutchins, o Jack, quando ele veio me morder, e o Elam falou que vai me matar se puder. Acho que ele não pode. O avô ficou me repetindo a fórmula Dho ontem à noite, e acho que vi a cidade interior nos 2 polos magnéticos. Irei a esses polos quando a terra for liberada, se eu conseguir me libertar com a fórmula Dho-Hna quando eu pronunciar. Os do ar me disseram no Sabbat que vai demorar anos para eu ir embora da terra, e acho que o avô já terá morrido, de modo que vou ter de aprender todos os ângulos dos planos e todas as fórmulas entre Yr e Nhhngr. Os de fora ajudarão, mas eles não ganham corpo sem sangue humano. O que mora no andar de cima parece que vai ficar como era para ser. Vejo às vezes quando faço o sinal Voorish ou quando sopro o pó de Ibn Ghazi lá, e está ficando parecido com eles na Noite de Santa Valburga na montanha. O outro rosto talvez esteja sumindo um pouco. Fico pensando como eu vou ficar quando a terra for liberada e não tiver mais nenhum ser terrestre aqui. Aquele que veio com o Sabaoth aklo falou que eu posso ser transfigurado, porque tem muito trabalho externo a ser feito.

A manhã encontrou o dr. Armitage suando frio de terror e em um frenesi de concentração atenta. Ele não largara o manuscrito a noite inteira, mas ficou sentado à sua mesa sob a luz elétrica, virando página após página, com mãos trêmulas, o mais depressa que podia decifrar aquele texto críptico. Havia telefonado nervosamente para a esposa avisando que não voltaria para casa, e quando ela levou de casa o desjejum ao marido, ele mal conseguiu tocar na comida. Aquele dia inteiro ele passou lendo, em alguns momentos enlouquecidamente exaltado, quando uma reaplicação da chave complexa se fazia necessária. O almoço e o jantar foram trazidos, entretanto ele comeu apenas uma mínima fração de cada um. Por volta do meio da noite seguinte, pegou no sono em sua cadeira, mas logo despertou de um emaranhado de pesadelos quase tão medonhos quanto as verdades e ameaças à existência humana que havia descoberto.

Na manhã de 4 de setembro, o professor Rice e o dr. Morgan insistiram em vê-lo brevemente, e foram embora trêmulos e com semblantes pálidos e acinzentados. Naquela noite, ele foi para a cama, mas teve um sono agitado e intermitente. Na quarta-feira – o dia seguinte –, voltou para o manuscrito e começou a fazer longas anotações, tanto das seções em que estava trabalhando quanto daquelas que já havia decifrado. Nas primeiras horas da madrugada, dormiu um pouco em uma espreguiçadeira de seu escritório, mas estava de volta ao manuscrito antes de raiar o dia. Pouco antes do meio-dia, seu médico, o dr. Hartwell, veio vê-lo e insistiu que ele interrompesse o trabalho. O dr. Armitage se recusou, alegando que era da mais vital importância que ele completasse a leitura do diário, e prometendo uma explicação no tempo devido.

Ao entardecer, assim que caiu o crepúsculo, ele terminou a terrível leitura e se deitou exausto. A esposa, ao trazer-lhe o jantar, encontrou-o em estado quase comatoso, mas ele estava consciente o bastante para alertá-la, com um grito brusco, ao notar que os olhos dela se encaminhavam para as anotações que ele fizera. Erguendo-se enfraquecido, ele juntou os papéis rabiscados e guardou-os em um grande envelope, que imediatamente pôs no bolso interno de seu paletó. Teve força suficiente para chegar em casa, mas precisava tão claramente de cuidados médicos que o dr. Hartwell foi chamado de imediato. Quando o médico se despediu dele à beira da cama, ele só resmungava incessantemente:

– Mas o que, em nome de Deus, podemos fazer?

O dr. Armitage adormeceu, mas no dia seguinte estava um tanto delirante. Não deu nenhuma explicação a Hartwell, mas em seus momentos mais calmos falou da necessidade imperativa de uma longa conversa com Rice e Morgan. Suas divagações extremadas foram realmente surpreendentes, incluindo apelos frenéticos para que algo na casa da fazenda fosse destruído e referências fantásticas a certo plano para a extinção de toda a raça humana e toda a vida animal e vegetal da terra por uma terrível raça antiga de seres de outra dimensão. Ele berrava que o mundo estava em perigo, pois as Criaturas Antigas queriam devastá-lo e arrastá-lo para fora do sistema solar e do cosmos da matéria, para outro plano ou fase da entidade, da qual o mundo um dia havia decaído, vigintilhões de éons atrás. Outras vezes, ele pedia o temível *Necronomicon* e a *Daemonolatreia* de Remigius, em que parecia ter esperanças de encontrar alguma fórmula para impedir o perigo que ele havia conjurado.

– Detenham-nos, detenham-nos! – berrava ele. – Os Whateleys queriam deixá-los entrar, e o pior deles ainda está vivo! Digam ao Rice e ao Morgan que precisamos fazer alguma coisa; é um tiro no escuro, mas eu sei como fazer o pó... Ele não foi mais alimentado desde 2 de agosto, quando Wilbur veio para cá e morreu, e nesse ritmo...

Porém Armitage tinha uma boa saúde, apesar de seus 73 anos, e se recuperou de sua desordem com uma noite de sono, sem desenvolver nenhum tipo de febre. Acordou tarde na sexta-feira, com a cabeça leve, embora sóbrio por um medo torturante e uma tremenda noção de responsabilidade. No sábado à tarde, ele se sentiu em condições de ir até a biblioteca e chamar Rice e Morgan para conversar, e durante o resto daquele dia e ao anoitecer, os três homens atormentaram seus cérebros nas mais bizarras especulações e no debate mais desesperado. Livros estranhos e terríveis foram retirados em grande quantidade das prateleiras e dos locais seguros de conservação; e diagramas e fórmulas foram copiados com pressa fervorosa e em abundância espantosa. De ceticismo, não havia nada. Os três haviam visto o corpo de Wilbur Whateley no chão da sala naquele mesmo edifício, e depois disso nenhum deles se sentiu minimamente inclinado a acusar o conteúdo do diário de delírios de um louco.

As opiniões se dividiram quanto a notificar ou não a Polícia Estadual de Massachusetts, e a negativa acabou vencendo.

Havia coisas envolvidas que simplesmente não eram críveis para quem nunca vira sequer uma amostra, como de fato ficaria claro ao longo das investigações subsequentes. Tarde da noite, o trio se dispersou sem ter definido um plano, mas o dia inteiro, durante o domingo, Armitage ficou ocupado comparando fórmulas e misturando substâncias químicas trazidas do laboratório da universidade. Quanto mais ele refletia sobre o diário infernal, mais se sentia inclinado a duvidar da eficácia de qualquer agente material em deter a entidade que Wilbur Whateley havia deixado para trás – a entidade ameaçadora do planeta que, sem que ele soubesse, estava prestes a aparecer dentro de algumas horas e se revelar o memorável horror de Dunwich.

Segunda-feira foi uma repetição do domingo para o dr. Armitage, pois a tarefa exigia uma infinidade de pesquisas e experimentos. Outras consultas do monstruoso diário levaram a diversas mudanças de plano, e ele sabia que mesmo ao final deveria restar um bocado de incerteza. Na terça-feira, ele tinha uma linha de ação toda mapeada, e planejou fazer uma viagem a Dunwich na semana seguinte. Então, na quarta-feira, o grande choque aconteceu. Espremida obscuramente em um canto de página do *Arkham Advertiser*, havia uma nota jocosa da agência Associated Press comentando um monstro insuperável que o uísque clandestino de Dunwich havia despertado. Armitage, atordoado, só conseguiu telefonar para Rice e Morgan. Ao longo da noite, eles discutiram, e o dia seguinte foi um turbilhão de preparativos da parte deles todos. Armitage sabia que entraria em contato com poderes terríveis, no entanto viu que não havia outro modo de anular o contato mais profundo e mais maligno que outros tiveram antes dele.

IX

Na sexta-feira de manhã, Armitage, Rice e Morgan foram de automóvel até Dunwich, chegando na vila por volta de uma da tarde. O dia estava ameno, mas mesmo ao sol claro uma espécie de temor silencioso e portentoso parecia pairar sobre as montanhas estranhamente coroadas e profundas, sobre as ravinas sombrias da região acometida. De quando em quando, em algum cume, um círculo esquálido de pedras podia ser visto de relance contra o céu. Pelo clima de pavor contido no armazém do Osborn eles perceberam que alguma coisa medonha havia acontecido, e logo ficaram sabendo da aniquilação da casa e da família de Elmer Frye. Ao longo da tarde, percorreram a região de Dunwich, fazendo perguntas aos nativos sobre o ocorrido e vendo com os próprios olhos o horror das ruínas desoladas da casa dos Fryes, dos resquícios de viscosidade alcatroada, dos rastros blasfemos no quintal dos Fryes, do gado ferido de Seth Bishop e das enormes faixas de vegetação destroçada em vários lugares. A trilha que ia e vinha de Sentinel Hill pareceu a Armitage de importância quase cataclísmica, e ele examinou longamente a sinistra rocha em forma de altar no cume.

Enfim os visitantes, informados de que um grupo de policiais estaduais tinha vindo de Aylesbury naquela manhã em resposta aos primeiros relatos telefônicos sobre a tragédia dos Fryes, resolveram consultá-los e comparar suas observações da melhor forma possível. Isso, contudo, perceberiam que era algo mais fácil de planejar do que de fazer, pois não encontraram nem sinal do grupo em lugar algum. Haviam vindo cinco em um carro, mas agora o carro estava vazio perto das ruínas no quintal dos Fryes. Os nativos, que tinham todos falado com os policiais, pareceram a princípio tão perplexos quanto Armitage e seus companheiros. Então o velho Sam Hutchins teve uma ideia e ficou pálido, cutucando Fred Farr e apontando para o vale profundo e úmido que se abria logo adiante.

– Jesus – deixou escapar –, eu falei para eles não descerem pelo vale e achei que ninguém ia querer fazer isso com aqueles rastros e aquele cheiro e os bacuraus gritando lá naquele escuro no meio da tarde...

Um calafrio percorreu nativos e visitantes, e seus ouvidos pareceram atingidos por uma espécie instintiva e inconsciente de sensibilidade. Armitage, agora que efetivamente se deparava com o horror e sua ação monstruosa, estremeceu diante da responsabilidade que sentia ser sua. Logo a noite ia cair, e seria então que a blasfêmia montanhosa irromperia em seu curso sobrenatural. *Negotium perambulans in tenebris...* O velho bibliotecário ensaiou as fórmulas que havia memorizado e segurou o papel contendo uma versão alternativa que ainda não havia memorizado. Verificou que sua lanterna elétrica estava funcionando. Rice, ao lado dele, tirou de uma valise um borrifador de metal do tipo usado para combater insetos, enquanto Morgan sacou um rifle de caça grosso em que confiava, apesar dos avisos do colega de que nenhuma arma material teria qualquer serventia.

Armitage, tendo lido o hediondo diário, sabia dolorosamente bem que tipo de manifestação esperar, mas não quis aumentar o pavor do povo de Dunwich com nenhuma sugestão ou pista. Ele contava que a situação poderia ser controlada sem revelar nada ao mundo sobre a criatura monstruosa que havia escapado. Conforme as sombras foram se adensando, os nativos começaram a se dispersar e a entrar, ansiosos para se entrincheirar dentro de casa apesar das evidências de que nenhuma tranca ou cadeado humano seria suficiente contra uma força capaz de dobrar árvores e esmagar casas quando bem entendesse. Eles balançaram as cabeças diante do plano dos visitantes de montar guarda nas ruínas dos Fryes perto do vale e, quando foram embora, deixaram-nos com pouca esperança de tornar a vê-los algum dia.

Ouviram-se ruídos na base da encosta aquela noite, e os bacuraus piaram ameaçadoramente. De quando em quando, um vento, subindo do vale de Cold Spring, trazia um bafio de fedor inefável ao pesado ar noturno; era um fedor que os três visitantes já tinham sentido antes, quando contemplaram uma criatura moribunda que por quinze anos e meio passara por um ser humano. Mas o esperado terror não apareceu. O que quer que estivesse lá embaixo no vale não parecia ter pressa, e Armitage disse aos colegas que seria suicídio tentar atacar no escuro.

A manhã chegou palidamente, e cessaram os sons noturnos. Era um dia cinzento, sombrio, com uma garoa ocasional, e nuvens cada vez mais pesadas pareciam se acumular além da serra a noroeste. Os homens de Arkham ficaram indecisos sobre o que fazer. Buscando abrigo da chuva que aumentava embaixo de um dos poucos telheiros intactos da fazenda dos Fryes, discutiram se era melhor ter a prudência de esperar ou adotar uma atitude agressiva e descer o vale em busca de sua monstruosa vítima sem nome. O aguaceiro ficou pesado, e trovões distantes estouravam em horizontes remotos. Nuvens relampejavam, e então um raio bifurcado iluminou bem perto deles, como se caísse no próprio vale maldito. O céu ficou bem escuro, e os observadores desejaram que a tempestade fosse breve e logo seguida por tempo aberto.

Estava uma escuridão macabra quando, cerca de uma hora depois, uma babel confusa de vozes soou na estrada. No momento seguinte, viu-se um grupo assustado de uma dúzia de homens correndo, gritando e até mesmo choramingando histericamente. Alguém à frente do grupo começou a balbuciar palavras, e os homens de Arkham tiveram um sobressalto violento quando as palavras adquiriram forma coerente.

– Oh, meu Deus, meu Deus! – exclamou a voz. – Está acontecendo de novo, *e dessa vez durante o dia!* Apareceu! Apareceu e está se mexendo nesse exato minuto, e Deus sabe quando vai passar por cima da gente!

O falante ofegou em silêncio, mas outro deu continuidade à sua mensagem.

– Não faz uma hora que Zeb Whateley aqui ouviu o telefone tocando, e era a dona Corey, a mulher do George, que mora no entroncamento. Ela falou que o menino que trabalha lá, Luther, estava levando as vacas ao abrigo da tormenta quando veio um raio imenso, quando ele viu as árvores se mexendo e uma montanha no meio do vale, do outro lado de onde ele estava, e sentiu o mesmo cheiro lazarento que sentiu quando encontrou aqueles rastros gigantescos segunda-feira de manhã. E ela falou que ele contou que fazia um som de água chocalhando, que não era das árvores e dos arbustos vergando, e de repente as árvores da beira da estrada começaram a ser empurradas para os lados, e se ouvia como que pisadas espalhando lama. Mas, veja você, Luther não conseguia enxergar nada disso, só as árvores e os matos se dobrando...

"Então bem adiante, onde o córrego dos Bishops passa embaixo da estrada, ele ouviu um rangido e uma rachadura na ponte, e disse que era o som da madeira começando a trincar e a rachar. E o tempo todo ele não viu nada da coisa, só as árvores e os arbustos dobrando. E, quando o som de água já estava bem longe – na estrada que vai para o bruxo Whateley e para Sentinel Hill –, Luther teve coragem de subir até onde ele tinha ouvido o barulho começar e olhou para o terreno. Era só lama e água, e o céu estava escuro, e a chuva caindo ia lavando todos os rastros o mais depressa possível, mas começando da boca do vale, onde as árvores tinham se mexido, ainda tinha um pouco daquelas pegadas horríveis, grandes feito barris, que ele tinha visto na segunda-feira."

Nesse ponto, o primeiro falante entusiasmado interveio.

– Mas o problema agora não é *esse*. Isso foi só o começo. Zeb começou a telefonar para as pessoas e todo mundo atendeu quando um telefonema do Seth Bishop cruzou a linha. A empregada da casa, Sally, tinha vindo correndo avisar desesperada. Ela tinha acabado de ver as árvores dobrando na beira da estrada, e falou que era um som de algo mole, como um elefante bufando e pisoteando o chão, indo na direção da casa. Daí ela se endireitou e falou de um cheiro súbito horroroso, e falou que o filho dela, Chancey, estava berrando que era igual ao que ele sentiu nas ruínas da fazenda Whateley segunda-feira de manhã. E os cachorros estavam todos latindo e ganindo que era uma coisa medonha.

"Então ela soltou um berro terrível e falou que o barracão perto da estrada tinha cedido como se a tempestade tivesse desabado em cima, só que o vento não estava forte para tanto. Todo mundo ficou ouvindo, e muitos engasgaram na linha. De repente Sally berrou de novo e falou que a cerca da frente tinha acabado de ser derrubada, mas não tinha nem sinal do motivo daquilo. Daí todo mundo que estava na linha ouviu Chancey e o velho Seth Bishop também gritando, e Sally berrando que alguma coisa pesada tinha batido na casa, não era raio nem nada, mas alguma coisa pesada bateu de novo na frente, e continuava se arremessando para a frente sem parar, mas não dava para ver o que era pelas janelas da frente. E então... e então..."

Rugas de medo se aprofundaram em todos os semblantes, e Armitage, abalado, mal teve ânimo para estimular o falante a prosseguir.

– E então... Sally berrou: "Socorro, a casa está desabando"... e na linha ouviu-se um estrondo tremendo, e uma gritaria desgraçada... como tinha acontecido quando a casa do Elmer Frye foi atacada, só que pior...

O homem fez uma pausa, e outro na multidão falou:

– Foi só isso. Nem mais um som nem guincho na linha depois disso. Só silêncio mesmo. Nós que estávamos na linha pegamos nossos Fords e nossas carroças e fomos no maior número de homens que deu até a casa dos Coreys, e depois viemos ver o que os senhores acham melhor fazer. Nem que seja o juízo de Deus pelos nossos pecados, porque isso nenhum mortal pode evitar.

Armitage viu que era hora de uma ação positiva e falou decididamente com o grupo hesitante de camponeses assustados.

– Precisamos seguir a criatura, rapazes. – Ele usou a voz mais reconfortante possível. – Acredito que exista uma possibilidade de acabar com ela. Vocês sabem que aqueles Whateleys eram feiticeiros. Bem, essa criatura é resultado de um feitiço, e deve ser derrotada pelos mesmos meios. Eu vi o diário do Wilbur Whateley e li alguns dos livros estranhos que ele costumava ler, e acho que sei o tipo certo de feitiço que se deve recitar para fazer essa coisa desaparecer. Claro, não se pode ter certeza, mas sempre se pode tentar. Ela é invisível, eu sabia que seria, mas há um pó no borrifador de longa distância que pode mostrá-la por um segundo. Logo vamos tentar. É uma coisa pavorosa demais para vir à existência, mas não tão ruim quanto aquilo que Wilbur teria deixado vir se tivesse vivido mais. Vocês jamais saberão do que o mundo escapou. Agora só temos essa criatura para combater, e ela não pode se multiplicar. Ela é capaz, contudo, de fazer um grande estrago, de modo que não podemos hesitar em livrar a comunidade dessa coisa.

"Precisamos ir atrás dela, e o modo de começar é ir ao local que acabou de ser destruído. Alguém vá na frente mostrando o caminho. Não conheço muito bem as suas estradas, mas acho que pode haver um atalho atravessando as propriedades. Que tal?"

Os homens hesitaram por um momento, e então Earl Sawyer falou baixinho, apontando com um dedo encardido através da chuva que vinha constantemente amainando:

– Acho que o caminho mais rápido para chegar no Seth Bishop é cortando por esse campo aqui, atravessando o córrego, lá embaixo, e subindo pelo terreno do Carrier e o arvoredo que tem depois. Já sai no alto da estrada, bem pertinho do Seth, do outro lado.

Armitage, com Rice e Morgan, começaram a andar na direção indicada, e a maioria dos nativos foi atrás lentamente. O céu estava clareando, e havia sinais de que a tempestade tinha passado. Quando Armitage inadvertidamente tomou um caminho errado, Joe Osborn alertou-o e tomou a dianteira para mostrar o certo. A coragem e a confiança foram aumentando; embora o crepúsculo na colina quase perpendicular de mata densa que se fechava ao final do atalho, em meio a cujas fantásticas árvores eles precisariam subir como se fosse uma escada, submetesse ambas as virtudes a uma provação severa.

Enfim emergiram em uma estrada barrenta e encontraram o sol saindo. Estavam um pouco depois da fazenda, mas as árvores dobradas e os rastros inconfundíveis mostravam o que havia passado por ali. Apenas alguns momentos foram gastos examinando as ruínas do outro lado da cerca. Era uma repetição do ocorrido com os Fryes, e nenhum ser vivo ou morto foi encontrado nas construções derrubadas da casa e do celeiro dos Bishops. Ninguém quis permanecer em meio àquele fedor e àquela viscosidade alcatroada, mas todos se viraram instintivamente para a linha de horríveis pegadas levando em direção à maldita sede da fazenda dos Whateleys e aos cumes coroados e ao altar de Sentinel Hill.

Quando os homens passaram pelo local da casa de Wilbur Whateley, estremeceram nitidamente e mais uma vez pareceram misturar hesitação à sua diligência. Não era pouco perseguir algo grande como uma casa que ninguém conseguia enxergar, mas que tinha toda a malignidade cruel de um demônio. Do outro lado da base da colina, os rastros saíam da estrada e havia visivelmente um trecho recém-dobrado e esmagado, junto da faixa larga que marcava o trajeto anterior do monstro indo e vindo do cume.

Armitage sacou um telescópio portátil de considerável alcance e esquadrinhou a encosta verdejante da montanha. Então passou o instrumento a Morgan, cuja visão era mais aguçada. Após contemplar por um momento, Morgan exclamou bruscamente, passando o telescópio para Earl Sawyer e indicando determinado ponto na colina com o dedo. Sawyer, desastrado como a maioria dos usuários esporádicos de aparelhos ópticos, teve alguma dificuldade; mas acabou conseguindo focar as lentes com a ajuda de Armitage. Quando ele conseguiu, seu grito foi menos contido que a exclamação de Morgan tinha sido.

– Santo Deus, o mato e os arbustos estão se mexendo! Está subindo... devagar... se arrastando até o cume neste exato momento, sabe Deus para quê!!

Então o germe do pânico se espalhou entre os observadores. Uma coisa era perseguir uma entidade sem nome, mas outra muito diferente era encontrá-la. Talvez o feitiço funcionasse – mas e se não funcionasse? Alguns começaram a questionar Armitage sobre o que ele sabia a respeito daquela criatura, e nenhuma resposta pareceu muito satisfatória. Todos pareciam se sentir em proximidade íntima com fases da Natureza e do ser completamente proibidas, e inteiramente externas ao limite de sanidade da experiência humana.

X

No fim, os três homens de Arkham – o velho de barba branca, dr. Armitage; o atarracado e grisalho professor Rice; e o esguio e jovial dr. Morgan – subiram a montanha sozinhos. Depois de muitas instruções pacientes sobre o foco e o uso, eles deixaram o telescópio com o grupo assustado que ficou na estrada e, enquanto subiam, foram observados atentamente por aqueles que passavam o instrumento uns para os outros. Era uma subida árdua, e Armitage precisou ser ajudado mais de uma vez. Bem acima do grupo esforçado, a grande faixa de destruição estremecia conforme seu criador infernal passava com sua lentidão de lesma. Até que ficou óbvio que os perseguidores estavam na frente.

Curtis Whateley – do ramo não decadente – estava segurando o telescópio quando o grupo de Arkham se desviou radicalmente do rastro. Ele disse ao grupo que os homens estavam sem dúvida tentando chegar a outro cume que dava para o rastro em um ponto consideravelmente adiante de onde os arbustos estavam sendo dobrados agora. Isso, de fato, provou-se ser verdade; e o grupo foi visto ganhando a elevação vizinha, pouco depois que a blasfêmia invisível tinha passado.

Então Wesley Corey, que havia assumido o telescópio, exclamou que Armitage estava ajustando o borrifador que Rice segurava, e que alguma coisa devia estar prestes a acontecer. A multidão se agitou inquieta, lembrando que o borrifador deveria dar ao horror invisível um momento de visibilidade. Dois ou três homens fecharam os olhos, mas Curtis Whateley agarrou de volta o telescópio e forçou a visão ao máximo.

Ele viu que Rice, do ponto privilegiado onde estavam, acima e atrás da entidade, tinha uma excelente oportunidade de espalhar o pó de efeito maravilhoso. Aqueles que estavam sem o telescópio viram apenas um lampejo instantâneo de uma nuvem cinzenta – uma nuvem do tamanho de um edifício razoavelmente grande – perto do cume da montanha. Curtis, que ficara segurando o instrumento, deixou-o cair com um grito agudo na estrada coberta de lama até os tornozelos. Ele cambaleou, e teria desabado no chão se outros dois ou três não o tivessem segurado e equilibrado. A única coisa que ele conseguiu fazer foi gemer quase inaudivelmente:

– Oh, oh, santo Deus... *aquilo... aquilo...*

Houve um pandemônio de perguntas, e apenas Henry Wheeler lembrou de resgatar o telescópio caído e limpá-lo da lama. Curtis estava além de qualquer coerência, e mesmo respostas esparsas eram quase excessivas para ele.

– Maior que um celeiro... todo feito de cordas se contorcendo... em forma de ovo só que maior que tudo, com dezenas de pernas grossas como barris que fecham quando pisam o chão... não tem nada de sólido... totalmente gelatinoso, feito de cordas separadas se contorcendo, mas bem apertadas... muitos olhos grandes e saltados por toda parte... umas dez ou vinte bocas ou troncos projetados dos lados, grandes como tubos de exaustão, e ficam sacudindo e abrindo e fechando... todos cinzentos, com uns anéis azuis ou roxos... *e santo Deus, aquele meio-rosto em cima!...*

Essa última lembrança, fosse do que fosse, revelou-se excessiva para o pobre Curtis; e ele desmaiou antes de conseguir dizer mais alguma coisa. Fred Farr e Will Hutchins levaram-no para a beira da estrada e deitaram-no na grama úmida. Henry Wheeler, trêmulo, virou o telescópio resgatado para a montanha para ver o que podia encontrar. Através das lentes, havia três minúsculas figuras discerníveis, aparentemente correndo para o cume, o mais depressa que o íngreme aclive permitia. Apenas eles – e mais nada. Então todos repararam em um estranho ruído extemporâneo no vale profundo atrás, e mesmo na própria vegetação de Sentinel Hill. Eram os pios de inúmeros bacuraus, e em seu coro estridente parecia pairar uma nota de expectativa tensa e maligna.

Earl Sawyer então pegou o telescópio e relatou sobre as três figuras de pé na borda do cume, praticamente no mesmo nível do altar de pedra, mas a uma distância considerável dele. Uma das figuras, ele disse, parecia erguer as mãos acima da cabeça em intervalos ritmados, e quando Sawyer mencionou a circunstância a multidão começou a perceber um som difuso, quase musical, vindo de longe, como se um cântico em voz alta acompanhasse os gestos. A bizarra silhueta no cume remoto deve ter sido um espetáculo infinitamente grotesco e impressionante, mas nenhum observador estava disposto a qualquer apreciação estética.

– Acho que ele está pronunciando o feitiço – sussurrou Wheeler ao pegar de volta o telescópio.

Os bacuraus estavam piando de maneira desgovernada, e em um ritmo irregular, singularmente curioso, muito diferente do ritual visível.

De repente, a luz do sol pareceu diminuir sem a intervenção de nenhuma nuvem discernível. Foi um fenômeno peculiar, e sem dúvida percebido por todos. Um som estrondoso parecia fervilhar sob a montanha, mesclado estranhamente com um estrondo concordante que vinha claramente do céu. Um relâmpago clareou tudo, e a multidão espantada olhou em vão para os portentos da tempestade. O cântico dos homens de Arkham então se tornou inconfundível, e Wheeler viu pelo telescópio que estavam todos erguendo os braços em seu encantamento ritmado. De alguma casa de fazenda distante, vinham latidos frenéticos de cães.

A mudança de qualidade da luz do dia ficou mais intensa, e a multidão contemplou o horizonte embevecida. Uma escuridão arroxeada, nascida de um adensamento espectral do azul do céu, caiu sobre as montanhas ruidosas. O relâmpago clareou novamente, um pouco mais intenso que antes, e a multidão imaginou ter se revelado uma nebulosidade em torno da pedra do altar no cume distante. Ninguém, contudo, usou o telescópio nesse momento. Os bacuraus continuaram sua pulsação irregular, e os homens de Dunwich se prepararam tensamente contra uma ameaça imponderável de que a atmosfera parecia sobrecarregada.

Sem aviso, ergueram-se vozes graves, rachadas, roucas que nunca deixarão a memória do grupo apavorado que as ouviu. Não eram nascidas de gargantas humanas, pois os órgãos dos homens não poderiam produzir tamanhas perversões acústicas. Parecia que antes saíam do vale em si, não fosse sua origem inconfundivelmente a pedra do alto do cume. É quase errôneo chamá-las de *sons*, na verdade, pois boa parte de seu timbre soturno, infragrave, sugeria lugares obscuros da consciência e um terror muito mais sutil que nossos ouvidos; no entanto, era inevitável considerá-las assim, uma vez que sua forma era, indiscutível ainda que vagamente, a de *palavras* semiarticuladas. Eram altas – altas como os estrondos e o trovão acima dos quais elas ecoavam –, no entanto não vinham de nenhum ser visível. E, como a imaginação podia sugerir uma fonte conjectural no mundo dos seres não visíveis, a multidão reunida na base da montanha se apinhou ainda mais, e fechou os olhos como que na expectativa de um golpe.

– *Ygnaiih... ygnaiih... thflthkh'ngha... Yog-Sothoth...* – soou o coaxar hediondo surgido do espaço. – *Y'bthnk... h'ehye-n'grkdl'lh...*

O impulso da fala pareceu hesitar nesse ponto, como se ali se travasse uma pavorosa luta psíquica. Henry Wheeler olhou pelo telescópio, mas viu apenas as grotescas silhuetas das três figuras humanas no cume, movendo os braços furiosamente em gestos estranhos conforme o seu encantamento se aproximava do ápice. De que poços negros de medo ou sentimentos aquerônticos, de que golfos insondáveis de consciência extracósmica ou obscura, de que hereditariedade longamente latente vinham aqueles coaxos estrondosos semiarticulados? Agora começavam a ganhar força e coerência renovadas, alcançando um frenesi total, puro e definitivo.

– *Eh-ya-ya-ya-yahaah-e'yayayayaaaa... ngh'aaaa... ngh'aaaa...* h'yuh... h'yuh... SOCORRO! SOCORRO!... *pa-pa-pa*-PAI! PAI! YOG-SOTHOTH!...

Mas foi só isso. O grupo pálido na estrada, ainda cambaleando diante das poucas sílabas *indiscutivelmente reconhecidas* que se despejaram densa e estrondosamente do vazio frenético ao lado da chocante pedra do altar, jamais ouviria essas sílabas outra vez. Em vez disso, eles se sobressaltaram com o relato terrífico que a montanha parecia transmitir; o clangor ensurdecedoramente cataclísmico cuja origem, fossem as profundezas da terra ou do céu, nenhum ouvinte jamais conseguiu identificar. Um único raio disparou do zênite arroxeado até a pedra do altar, e uma grande vaga de força invisível e indescritível fedor varreu da montanha até o vale. Árvore, grama e arbusto, tudo foi açoitado em fúria, e a multidão apavorada na base da montanha, enfraquecida pelo fedor letal que parecia quase asfixiá-los, foi quase derrubada no chão. Cães uivaram ao longe, grama e folhagem murcharam diante daquele curioso e doentio cinza amarelado, e por campo e floresta se espalharam os corpos de bacuraus mortos.

O fedor passou depressa, mas a vegetação nunca mais voltou a ser a mesma. Até hoje há algo bizarro e profano sobre as plantas nas imediações daquela temível encosta. Curtis Whateley estava retomando a consciência quando os homens de Arkham desceram lentamente a montanha nos raios de um sol mais uma vez brilhante e intacto. Estavam graves e calados, e pareciam abalados por memórias e reflexões ainda mais terríveis que aquelas que reduziram o grupo de nativos a um estado de tremor acovardado. Em resposta a uma sucessão de perguntas, eles apenas balançaram as cabeças e reafirmaram um fato vital.

– A criatura se foi para sempre – disse Armitage. – Ela se dividiu naquilo de que era originalmente composta, e nunca mais poderá existir de novo. Era uma impossibilidade em um mundo normal. Apenas a menor fração dela era realmente matéria no sentido que nós conhecemos. Era como o pai, e a maior parte voltou para o pai em algum vago domínio ou dimensão externos ao nosso universo material, algum vago abismo de onde só os ritos mais amaldiçoados da blasfêmia humana poderiam tê-lo invocado por um momento naquela montanha.

Houve um breve silêncio, e nessa pausa os sentidos abalados do pobre Curtis Whateley começaram a voltar com uma espécie de continuidade, de modo que ele levou as mãos à cabeça com um gemido. A memória parecia ter sido retomada a partir do momento em que ele desmaiara, e o horror da visão que o fizera desfalecer se projetou novamente sobre ele.

– *Oh, oh, meu Deus, aquele meio rosto, aquele meio rosto em cima da coisa... aquele rosto de olhos vermelhos e cabelo albino crespo, e sem queixo, igual aos Whateleys... Era uma espécie de polvo, centopeia, aranha, mas com metade de um rosto de homem em cima, e parecia o do bruxo Whateley, só que era muitos e muitos metros maior...*

Ele fez uma pausa, exausto, e o grupo de nativos ficou olhando com uma expressão de perplexidade não exatamente cristalizada em um novo horror. Só o velho Zebulon Whateley, que furtivamente se lembrava de coisas antigas mas que até então ficara em silêncio, falou:

– Há quinze anos – divagou ele –, ouvi o velho Whateley dizer que um dia nós ouviríamos um filho da Lavinia chamar o pai no alto de Sentinel Hill...

Mas Joe Osborn interrompeu-o para perguntar aos homens de Arkham de novo:

– *Mas afinal o que era aquilo*, e como o jovem bruxo Whateley invocou aquilo que brotou do ar?

Armitage escolheu suas palavras muito cuidadosamente.

– Aquilo era... bem, era basicamente um tipo de força que não pertence à nossa parte do espaço, uma espécie de força que age e cresce e se molda segundo outras leis, diferentes daquelas do nosso tipo de Natureza. Não temos nada que invocar essas coisas de fora, e só gente muito má e cultos muito malignos já tentaram invocá-las. Havia algo dessa força no próprio Wilbur Whateley, o suficiente para transformá-lo em um demônio e em um monstro precoce, e para fazer de sua morte uma visão terrível. Vou queimar seu diário maldito, e se vocês forem prudentes vão dinamitar a pedra do altar lá em cima, e derrubar todos os círculos de pedras das outras montanhas. Foram coisas assim que trouxeram as criaturas de que os Whateleys tanto gostavam, os seres que eles estavam querendo deixar entrar na forma tangível para aniquilar a raça humana e levar a terra para um lugar sem nome por algum propósito sem nome.

"Mas, quanto à criatura que acabamos de mandar de volta, os Whateleys a criaram para desempenhar um papel terrível nos acontecimentos que viriam. A criatura cresceu depressa pelo mesmo motivo que Wilbur cresceu depressa, mas cresceu ainda mais que ele, pois continha uma porção de *estranheza* maior dentro de si. A pergunta não é como Wilbur invocou aquilo que brotou do ar. Ele não invocou nada. *Aquilo era seu irmão gêmeo, que saiu mais parecido com o pai.*"

SOBRE O AUTOR

Howard Phillips Lovecraft, nascido em 20 de agosto de 1890, é até hoje considerado um dos autores mais importantes da literatura de terror. Criou, na primeira metade do século XX, um universo ficcional que mistura elementos de fantasia e ficção científica, cujos personagens são constantemente levados ao encontro do desconhecido e colocados diante de paisagens inóspitas, sonhos nefastos, eventos sobrenaturais e seres monstruosos. H.P. Lovecraft faleceu em 1937, mas a força de sua obra tornou-se um legado, sendo fonte de inspiração para roteiristas, diretores, músicos, inventores de *games* e outros escritores, como Stephen King.

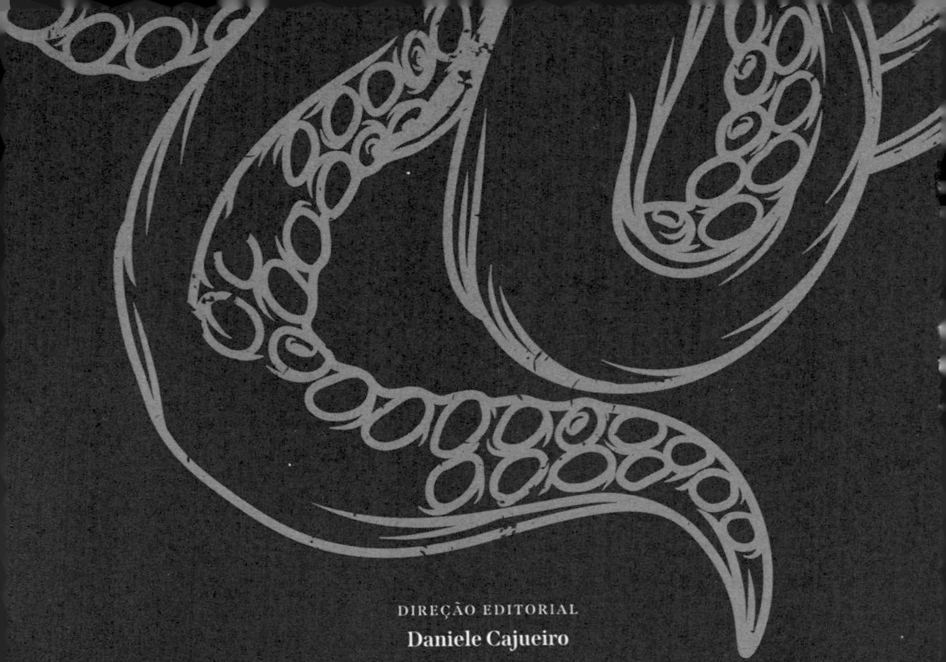

DIREÇÃO EDITORIAL
Daniele Cajueiro

EDITORA RESPONSÁVEL
Ana Carla Sousa

PRODUÇÃO EDITORIAL
Adriana Torres
Mariana Bard
Nina Soares

PREPARAÇÃO DE TEXTO
Luisa Suassuna
Sofia Soter

REVISÃO
Mariana Oliveira
Luiz Felipe Fonseca

PROJETO GRÁFICO DE MIOLO
E DIAGRAMAÇÃO
Anderson Junqueira

Este livro foi impresso em 2020
para a Nova Fronteira.